Christian Seiffert

Treffpunkt D-A-CH

Landeskundeheft 2

Ernst Klett Sprachen

Stuttgart

Von Christian Seiffert

Layoutkonzept: Andrea Pfeifer, Kommunikation + Design, München

Illustrationen: Nikola Lainović

Umschlaggestaltung: Svea Stoss, 4S_art direction
unter Verwendung einer Karte von Nikola Lainović

Umschlagsfotos:
Vorderseite:
Hamburger Hafen: Cordula Schurig; Schlosskirche Wittenberg: PIXELIO; Goethe-Schiller-Denkmal, Weimar: Christian Rohr, PIXELIO; Wien, Schloss Schönbrunn: Helga Gross, PIXELIO; Kinder in Tracht: Meyhome, PIXELIO; Salzburg: Corel Stock Photo Library; Swarovski Kritallwelten in Wattens/Tirol: Rolf Plühmer, PIXELIO; Zermatt und Zürich: Roland Zumbühl, www.picswiss.ch; Schwarzwald: schnorbsi, PIXELIO; Wuppertaler Schwebebahn: Gecko, PIXELIO; Nordsee: H. Henkel, PIXELIO

Umschlagrückseite (von links nach rechts):
Prinzipalmarkt Münster: Doris Rennekamp, PIXELIO; Alpen: Reinhard Simon: PIXELIO; Rathausplatz Paderborn: Birgit Winter, PIXELIO; Rhein mit Loreley: Bernd Kröger, Fotolia.com; Universität Wien: housymomo, PIXELIO

Redaktion: Hedwig Miesslinger

1. Auflage   1 9 8 7 | 2024 23 22

© Ernst Klett Sprachen GmbH, Rotebühlstraße 77, 70178 Stuttgart, 2017
© der Originalausgabe: Langenscheidt KG, Berlin und München, 2010

Satz: Franzis print & media GmbH, München

Druck und Bindung: Elanders GmbH, Waiblingen

ISBN 978-3-12-606051-6

A
Traditionelle Kleidung: Dirndl, Janker & Co.

1 Lesen Sie die Texte, ordnen Sie die Bilder zu und ergänzen Sie die Beschriftung.

Ausschnitt

Stoffkante

Schleife

Schürze

Hut

A Als „Tracht" bezeichnet man traditionelle und historische Kleidung. Trachten gehören zu einer Region, einem Land, zu Volks- oder Berufsgruppen. Formen und Farben für die Bekleidung in einer bestimmten Region oder Berufsgruppe waren früher meist genau festgelegt. Auch für Hüte, Schuhe, Strümpfe und andere Kleidungsteile gab es Regeln. An verschiedenen Merkmalen kann man die Tracht einer Region und/oder dem sozialen Status des Trägers zuordnen. Berufstrachten zeigen, zu welcher Berufsgruppe die Trägerin oder der Träger gehört. Heute werden Trachten meist bei Volksfesten getragen.

Bild: ___

B Mit „Janker" bezeichnet man eine spezielle Jacke für Männer. Sie besteht aus Schafwolle. Das Material hat ähnliche Eigenschaften wie moderne Microfasern. Der Walkstoff (so heißt das Material) ist weich, kann viel Feuchtigkeit aufnehmen und reguliert auch die Temperatur. Oft haben die Stoffkanten an einem Janker eine andere Farbe. Ein Janker ist oft grau, grün oder rot und die Knöpfe bestehen oft aus Metall.

Bild: ___

C Ein „Dirndl" ist ein Trachtenkleid. Es hat ein enges Oberteil, oft einen tiefen Ausschnitt und einen Rock mit Schürze. Man trägt das Dirndl zusammen mit einer meist weißen Bluse. Mit einer Schleife bindet man die Schürze fest. Es gibt heute viele moderne Varianten des Dirndls, zum Beispiel mit einem kurzen Rock oder in kräftigen Farben.

Bild: ___

2 Lesen und ergänzen Sie den Text mit den unterstrichenen Wörtern aus Aufgabe 1.

_____ kann man in Deutschland, Österreich und der Schweiz im Alltag fast gar nicht mehr sehen. Mitglieder von speziellen Vereinen, meist Trachten- oder Tanzvereinen, tragen _____ zu Festen und bei Tanzaufführungen. Es gibt auch in manchen Handwerksberufen immer noch _____ . Einzelne Trachtenelemente wie das _____ und den _____ trägt man heute aber immer noch. Manchmal kann man in Süddeutschland oder Österreich auch im Alltag Männer mit einem _____ sehen. Frauen tragen hier bei größeren Volksfesten (zum Beispiel auf dem Münchner Oktoberfest) auch häufiger ein _____ . Auch Kellnerinnen in Süddeutschland und Österreich tragen manchmal ein _____ .

3 Gibt es in Ihrer Stadt/Region/in Ihrem Land auch traditionelle Kleidung oder Trachten? Beschreiben Sie diese Kleidung auf Deutsch. Wer trägt diese Kleidung (noch) und wann?

D | A | CH

| das Unterhemd | das Unterhemd das Leibchen | das Leibchen |
| das Jackett das Sakko | das Sakko | der Kittel der Veston der Sakko |

Ein Modedesigner in Berlin

4 Lesen Sie die Fragen und Antworten des Interviews mit dem Modedesigner Stefan Dietzelt und ordnen Sie die Antworten den richtigen Fragen zu.

1 ☐ Herr Dietzelt, Sie sind Modedesigner und entwerfen Kleidung für Ihr Label „Director's Cut". Wie wird man eigentlich Modedesigner?

2 ☐ Ihre Sachen gefallen mir. Ich kann mir gut vorstellen, Ihre Kleidung in der Stadt oder bei der Arbeit zu tragen. Wie beschreiben Sie Ihre Kleidung selbst? Was ist charakteristisch für Ihre Kleidungsstücke?

3 ☐ Welche Menschen kaufen und tragen Ihre Mode?

4 ☐ Wie modisch sind wir Deutschen Ihrer Meinung nach?

5 ☐ Gibt es Ihrer Ansicht nach Gemeinsamkeiten zwischen Deutschland, Österreich und der Schweiz in der aktuellen Mode?

A Stefan Dietzelt: Mein Design hat eigentlich immer die Klassiker der Mode als Grundlage. Die verändere ich dann in eine sportlichere oder modernere Richtung. Ich orientiere mich dabei nicht so sehr an den aktuellen Trends, sondern suche immer einen eigenen Ausdruck. Als kleine Marke ist es wichtig, eigene Merkmale zu haben, um in der Vielfalt der anderen Anbieter nicht völlig unterzugehen.

B S.D.: Es fängt meist mit einem großen Interesse für Mode in den Jugendjahren an. Bei mir wurde das „Selbermachen" von Schmuck und Kleidung irgendwann zu groß für ein Hobby und sollte damit zum Beruf werden. Der normale Weg ist, dass man drei bis fünf Jahre an einer Modeschule studiert. Es gibt allerdings auch Leute, die aus ganz anderen Bereichen kommen. Um Designer zu werden, braucht man auch nicht unbedingt eine Ausbildung. Dann ist man aber von Anfang an auf Mitarbeiter angewiesen, die für einen zeichnen und Modelle entwickeln. Eine Anstellung in einer Firma wird man ohne Ausbildung nicht bekommen. Ich entschied mich daher für eine Ausbildung an einer Berufsfachschule für Design.

C S.D.: Meine Kunden sind meistens Menschen mit eigenem Geschmack, die oft auch selbstständig arbeiten und den Wert von Dingen schätzen, die es nicht an jeder Ecke gibt.

D S.D.: Ja, auf jeden Fall, soweit ich das beurteilen kann. Die Kleidung ändert sich erst in Norditalien.

E S.D.: Die Deutschen sind nach meiner Meinung nicht so modisch wie andere Europäer, Dänen oder Engländer zum Beispiel, aber doch modisch genug, um jede Menge Kleidung zu kaufen. Deutschland gilt als ein sehr großer Markt, der für die meisten internationalen Marken sehr wichtig ist.

5 Beschreiben oder charakterisieren Sie Ihre Lieblingskleidung. Vergleichen Sie im Kurs.

> Ich ziehe gern bequeme Kleidung an. Oft trage ich Jeans und T-Shirt oder Pullover.

> Ich mag gern …

Schmuckmuseum Pforzheim

6 Lesen Sie das Telefongespräch und markieren Sie den Weg in der Karte.

A: Schmuckmuseum Pforzheim, Elisabeth Langner, guten Tag. Was kann ich für Sie tun?

B: Guten Tag, Frau Langner, Ute Bauer hier. Ich bin gerade in Pforzheim angekommen und stehe vor dem Bahnhof. Können Sie mir sagen, wie ich vom Bahnhof zu Fuß zum Schmuckmuseum komme?

A: Gern. Sie stehen jetzt auf dem Bahnhofsplatz. Gehen Sie nach rechts in die Bahnhofstraße. Am Ende der Bahnhofstraße gehen Sie links in die Leopoldstraße. Die gehen Sie immer geradeaus. Sie kommen dann über eine Brücke. Und nach der Brücke kommt eine Kreuzung. Da gehen Sie auch immer noch geradeaus, bis die Straße sich teilt. Hier gehen Sie dann links weiter. Das ist die Bleichstraße. Und die Bleichstraße gehen Sie dann bis zur Kreuzung Jahnstraße. Da müssen Sie dann nach links gehen. Wir haben die Nummer 42. Das Schmuckmuseum können Sie nicht übersehen.

B: Wie lange geht man ungefähr?

A: Ungefähr eine Viertelstunde.

B: Vielen Dank.

A: Gern, Frau Bauer.

Name: Pforzheim, auch „Goldstadt" oder „Gold-, Schmuck- und Uhrenstadt"
Größe: 98,03 km²
Einwohnerzahl: ca. 120.000
Lage: im Westen Baden-Württembergs, am Nordrand des Schwarzwalds

Bereits um 90 n. Chr. bauten die Römer hier eine Siedlung. Pforzheim ist weltbekannt für seine frühere Schmuck- und Uhrenindustrie, denn um 1800 war Pforzheim mit 900 Fabriken das wichtigste Zentrum der Schmuckfabrikation in der Welt.

Schmuckmuseum Pforzheim
Das Schmuckmuseum im Reuchlinhaus zeigt Tausende von antiken Schmuckstücken, aber auch Schmuck der Gegenwart. Schwerpunkte der Sammlung sind Schmuckstücke der Griechen und Römer und Schmuck aus der Renaissance und dem Jugendstil. Das Museum dokumentiert aber auch die Geschichte der Stadt Pforzheim als Zentrum der deutschen Schmuck- und Uhrenindustrie.

7 Welche Edelsteine mögen Sie? Welche Schmuckstücke finden Sie schön? Suchen Sie die Wörter im Wörterbuch und berichten Sie.

Schöne Dinge sammeln

8 Lesen Sie den Dialog und die Informationen über die Firma Swarovski und beantworten Sie die Fragen.

Petra: Ist die Vitrine neu?

Bettina: Die Vitrine? Na ja, die habe ich jetzt vielleicht ein Dreivierteljahr.

Petra: So lange war ich nicht mehr bei dir?

Bettina: Ja, aber schön, dass du jetzt da bist.

Petra: Ja, das finde ich auch. Sag mal, hattest du schon immer so viele Kristallfiguren?

Bettina: Nein, aber meine Tante ist im letzten Jahr gestorben und ich habe von ihr einige Swarovski-Figuren geerbt.

Petra: Die sind echt schön. Die Kuh da vorne gefällt mir besonders gut.

Eingang zu den Swarovski Kristallwelten in Wattens (Tirol)

Bettina: Mir auch. Die habe ich mir selber gekauft. Seit ich die Figuren von meiner Tante habe, bin ich so begeistert davon, dass ich weitersammle. Ich will auch unbedingt noch in diesem Jahr die Swarovski Kristallwelten in Wattens in Tirol besuchen.

Petra: Kristallwelten? Was ist das?

Bettina: Ein ganz besonderes Museum mit Kunstwerken aus Kristall. Die Kristallwelten hat man zum hundertjährigen Jubiläum der Firma Swarovski eröffnet.

Petra: Das hört sich gut an.

Bettina: Willst du mitkommen?

Petra: Ja, das ist eine schöne Idee.

> ℹ️ **Swarovski**
> Daniel Swarovski, ein Glasschleifer aus Böhmen (heute Tschechien), hat das Unternehmen 1895 gegründet. Er hat eine spezielle Maschine zum Glasschleifen entwickelt. Die Firma Swarovski stellt heute sehr unterschiedliche Kristallprodukte her, zum Beispiel Kristallfiguren, Schmuck, optische Geräte oder Elemente für Lampen. Weltweit arbeiten etwa 24.800 Menschen für Swarovski. Jedes Jahr im Dezember kann man zum Beispiel in der Züricher Bahnhofshalle einen Swarovski-Weihnachtsbaum mit 5.000 Kristallen sehen und der große Weihnachtsstern auf dem Weihnachtsbaum vor dem Rockefeller Center in New York ist ebenfalls von Swarovski.

1 Was sammelt Bettina?
2 Von wem hat Bettina ihre ersten Swarovski-Figuren bekommen?
3 In welche Stadt wollen Bettina und Petra fahren?
4 Seit wann gibt es das Unternehmen Swarovski?
5 Wo kann man einen Weihnachtsbaum mit Tausenden von Kristallen sehen?

9 Sammeln Sie auch? Wie hat das Sammeln bei Ihnen angefangen? Erzählen Sie.

Fit am Nationalfeiertag

10 Sehen Sie das Foto an und formulieren Sie Vermutungen:
Was machen die Leute?

> **Nationalfeiertag**
> Der Nationalfeiertag in Österreich ist der 26. Oktober. An diesem Tag
> hat Österreich 1955 seine Neutralität erklärt. Das Land war nach 1945
> von den Siegerstaaten des 2. Weltkriegs besetzt. 1955 haben die letz-
> ten Besatzungstruppen Österreich verlassen und das Land war wieder
> ein souveräner Staat. Seit vielen Jahren finden am Nationalfeiertag im
> ganzen Land Sportveranstaltungen statt.

11 Lesen Sie die beiden Zeitungsmeldungen und ergänzen Sie die E-Mail.

Fit am Nationalfeiertag

Wien – Die Natur Österreichs wird wieder zum schönsten „Fit-
nesscenter" der Welt: „Fit am Nationalfeiertag" heißt es auch
wieder in diesem Jahr. Jede und jeder ist herzlich willkommen –
Alt und Jung, Singles und Familien, egal wie sportlich, egal welche Lieblingssportart: Wandern, Radfahren, Laufen, Skaten,
Walken – Hauptsache, Spaß haben, sich selbst und seiner Ge-
sundheit an diesem wichtigen Tag mit Sport etwas Gutes tun. Die
Österreichische Bundes-Sportorganisation und ihre Partner in
ganz Österreich bereiten für den 26. Oktober über 170 Einzelver-
anstaltungen vor. Und wie jedes Jahr werden wieder Tausende
erwartet, die am Nationalfeiertag an den Start gehen und nach
erfolgreicher Teilnahme ihre Medaillen und Urkunden in Emp-
fang nehmen.

Trendsport für Jugendliche

Innsbruck – Am Nationalfeiertag lädt die Sportunion
Tirol zusammen mit der Stadt Innsbruck alle 15- bis
25-Jährigen zu einer großen Sportveranstaltung in der
Olympiaworld Innsbruck ein. Profis aus verschiedenen
Trendsportarten wie Beachvolleyball, Streetball, Skate-
boarden, Snowboarden, Breakdance und Einrad werden
zeigen, was sie können. Die Jugendlichen können die
Sportarten kennenlernen, selbst ausprobieren und sich
Tipps von den Profis geben lassen. Ziel des Trendsport-
tages ist es, jungen Menschen attraktive Alternativen zu
den bekannten Sportarten vorzustellen.

An:	gregor.lettner@aon.at
Cc:	
Betreff:	Nationalfeiertag

Hallo Gregor,

was machst du am _____ Oktober? Hast du schon etwas geplant? Ich bin im letzten Jahr mit meiner
Schwester Fahrrad gefahren. Natürlich haben wir die Strecke geschafft und unsere Urkunden bekommen, aber ich habe Lust, mal etwas anderes zu machen. Vielleicht fahre ich nach _____ .
Da werden viele verschiedene _____ vorgestellt und man kann Profis treffen. Hast du
auch Lust? Ich möchte mal Sn_____ oder E_____ ausprobieren.

Liebe Grüße
Max

12 Was machen Sie an Ihrem Nationalfeiertag? Kennen Sie Nationalfeiertage anderer Länder?
Berichten Sie.

Sechseläuten in Zürich

13 Lesen Sie das Reisetagebuch von Evelyn und markieren Sie: A Was passiert / ist passiert? B Was hat jemand Evelyn erzählt? C Was denkt Evelyn / hat Evelyn gedacht?

> Das „Sechseläuten" ist ein Frühlingsfest, das in Zürich jedes Jahr im April gefeiert wird. Die Handwerkervereinigungen („Zünfte") machen einen großen Festumzug durch die Stadt mit Kostümen und viel Musik. Am Abend verbrennt man einen künstlichen Schneemann, den „Böögg". Er symbolisiert den Winter.

Montag, 19. April

Es ist jetzt schon nach Mitternacht. Ich bin wieder zurück im Hotel und sehr müde. Draußen sind noch viele Leute auf den Straßen und feiern. Ich habe wirklich Glück mit meinem Urlaub in Zürich. Denn heute ist hier „Sechseläuten". Zuerst bin ich in die Münstergasse gegangen und habe mir den Umzug angesehen. Das war fantastisch. Tausende Menschen in historischen Kostümen, viele auf Pferden und überall Musik. Manche Frauen hatten einen Korb mit Blumen. Wenn sie einem Mann eine Blume geben, darf

Der Böögg in Zürich

der sie küssen. Das finde ich schön. Irgendwann sind viele Zuschauer weggegangen. Alle in eine Richtung. Da muss etwas Besonderes sein, habe ich gedacht, und bin mitgegangen. Alle sind zum Sechseläutenplatz gegangen und da war ein riesiger Schneemann aus Watte auf einem hohen Holzhaufen. Um sechs Uhr hat man das Holz angezündet und Reiter sind um den Schneemann herum geritten. Alle haben auf den Kopf des Schneemanns geschen. Ich habe einen Mann neben mir gefragt, warum. Der hat mir gesagt: „Der Schneemann heißt ‚Böögg' und wenn der Kopf schnell explodiert, dann gibt es einen guten Sommer". Ich weiß nicht, ob ich das glauben soll. Nach 10 Minuten ist der Kopf tatsächlich explodiert, weil innen Feuerwerkskörper waren. Ich glaube, der Böögg ist ein Symbol für den Winter.

Reiter; reiten, reitet, ist geritten

14 Gibt es in Ihrer Stadt, in Ihrer Region oder in Ihrem Land auch Traditionen mit Feuer. Was macht man? Warum macht man das? Versuchen Sie, diese Tradition auf Deutsch zu erklären. Benutzen Sie – wenn nötig – das Wörterbuch.

Die Sprachen der Schweiz

15 Lesen Sie das Gespräch und beschriften Sie die Karte und das Diagramm mit den Informationen aus dem Dialog.

A: Welche Sprachen spricht man in der Schweiz?

B: Man spricht Deutsch, Französisch, Italienisch und Rätoromanisch. Das sind die vier Landessprachen.

A: Spricht jeder Schweizer vier Sprachen?

B: Nein, aber mindestens zwei der Landessprachen können eigentlich alle Schweizer. Wir lernen in der Schule eine der anderen Landessprachen und Englisch als Fremdsprache.

A: Welche ist die häufigste Sprache?

B: Die häufigste Sprache ist Deutsch, am zweithäufigsten wird Französisch gesprochen und dann kommt Italienisch. Rätoromanisch sprechen nur etwa 0,5 Prozent der Schweizer.

Die vier Landessprachen der Schweiz

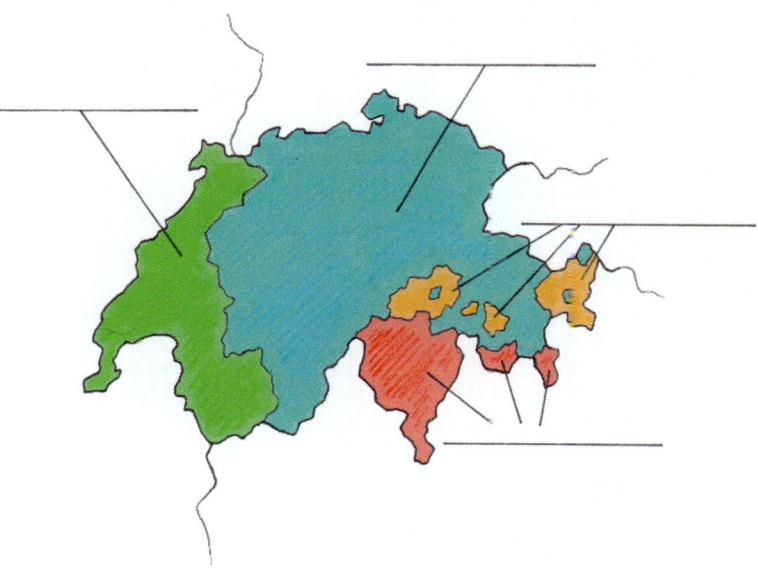

A: Und in welchen Landesteilen spricht man welche Sprache?

B: Im Westen spricht man Französisch. Man nennt die Westschweiz auch „Romandie" oder „Suisse romande". Im Osten, in Graubünden spricht man zum Teil Rätoromanisch, in Teilen der Südschweiz Italienisch und im restlichen Teil der Schweiz hauptsächlich Deutsch. Die Schweizer mit Rätoromanisch als Muttersprache können aber fast alle auch Deutsch. Die Sprachgebiete sind aber nicht festgelegt. Über die Amtssprachen in einem Kanton entscheiden die Kantone selbst, nicht der Bund.

A: Das Schweizerdeutsch hört sich anders an, als das Deutsch in Deutschland oder Österreich. Schreiben die Schweizer auch anders als Deutsche oder Österreicher?

Landessprachen/Muttersprachen in der Schweiz

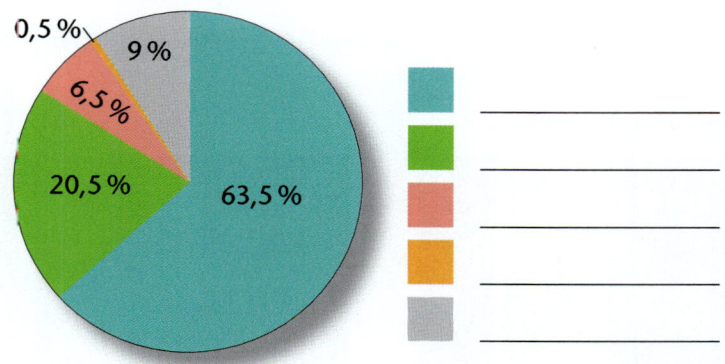

B: Nein, es gibt zwar verschiedene schweizerdeutsche Dialekte, aber man schreibt in der Regel Standarddeutsch.

A: Ich habe gehört, dass es in der Schweiz auch viele Menschen gibt, die noch andere Muttersprachen haben. Stimmt das?

B: Ja, viele Menschen sind aus anderen Ländern in die Schweiz gekommen, als Gastarbeiter oder zum Beispiel als Flüchtlinge in der Zeit der Jugoslawienkriege. Die haben natürlich andere Muttersprachen. Ich glaube, es sind ungefähr 9 oder 10 Prozent.

16 Welche Bevölkerungsgruppen gibt es in Ihrem Land? Welche Sprachen spricht man?
a) Welches sind die Amtssprachen?

Das Ruhrgebiet: Kohle und Migration

17 Lesen Sie den Chat und die Information und ergänzen Sie die Texte.

gefahren • besteht • geboren • gearbeitet • ist • fließt • erkennen • ~~gehört~~ • gekommen • zurückgegangen • wollten • leben

---

Forum Geschichte   Länder: Deutschland   Themen/Regionen: Ruhrgebiet

Ewa: Ich habe irgendwo die Bezeichnung „Ruhrpole" _gehört_. Weiß jemand im Forum darüber Bescheid? Bitte antwortet. Mich interessiert das sehr, weil ich selbst aus Polen komme.

Bernd: Ich habe mal gelesen, dass die „Ruhrpolen" Polen waren, die früher im Ruhrgebiet im Bergbau _____ ① haben.

Ewa: Weißt du, wann das ungefähr war?

Bernd: Na ja, Bergbau gibt es fast gar nicht mehr im Ruhrgebiet – das muss also schon eine ganze Weile her sein. Ich schätze mal, noch vor dem Ersten Weltkrieg, so um 1900 herum.

Anna: Mein Urur-Opa ist 1861 _____ ② und ist 1880 ins Ruhrgebiet _____ ③, weil es für ihn hier bessere Arbeitsbedingungen gab. Er, mein Ur-Opa und mein Opa haben alle hier als Bergmänner gearbeitet. Die haben sich auch entschieden, hier zu bleiben. Nach dem 1. Weltkrieg sind viele Polen wieder _____ ④.

Ewa: Anna, dann bist du also eine „Ruhrpolin"?

Anna: Ja. Aber außer meinem Nachnamen und der Religion ist nicht viel von den polnischen Wurzeln übrig. Ich fühle mich als Deutsche, auch wenn mir Polen sehr sympathisch ist und ich auch schon ein paar Mal nach Polen _____ ⑤ bin. Wann bist du denn nach Deutschland gekommen, Ewa?

Ewa: Ich bin Anfang der 80er-Jahre zusammen mit meinen Eltern ins Ruhrgebiet gekommen. Da war ich 12. Meine Eltern _____ ⑥ ins Ruhrgebiet, weil es da so viele Menschen mit polnischen Vorfahren gibt.

Marek: 1871 haben im Ruhrgebiet nur etwa 500.000 Menschen gelebt – 1910 waren es drei Millionen und eine halbe Million waren polnischer Herkunft. Ich habe irgendwo gelesen, dass heute ein Drittel der 5 Millionen Menschen im Ruhrgebiet polnische Wurzeln hat. Am Namen kann man das nicht immer _____ ⑦, weil viele polnische Namen eingedeutscht worden sind.

Das Ruhrgebiet

Mit „Ruhrgebiet" bezeichnet man den dicht besiedelten Zentralraum des Bundeslandes Nordrhein-Westfalen. Es _____ ⑧ nach dem Fluss Ruhr benannt. Die Ruhr _____ ⑨ in den Rhein. Das Ruhrgebiet hat etwa 5 Millionen Einwohner und eine Fläche von etwa 4435 km². Pro km² _____ ⑩ hier ca. 1100 Menschen. Das Ruhrgebiet _____ ⑪ aus einer Reihe von zusammengewachsenen Großstädten. Die größten Städte sind (von West nach Ost): Duisburg, Essen, Bochum und Dortmund. Kohle und Stahl haben das Ruhrgebiet wachsen lassen.

18 Welches Bild passt zu den Chat-Beiträgen von Bernd?

Ⓐ

Ⓑ

Ⓒ

19 Gibt es in Ihrer Familie/Nachbarschaft/Bekanntschaft auch eine Migrationsgeschichte? Erzählen Sie.

Quiz

1 Der österreichische Nationalfeiertag

- ☐ A (Bundesfeier) ist am 1. August.
- ☐ B (Geburtstag Franz Josef II. und Mariä Himmelfahrt) ist am 15. August.
- ☐ C (Erklärung der Neutralität) ist am 26. Oktober.
- ☐ D (Tag der deutschen Einheit) ist am 3. Oktober.

2 Der Böögg

- ☐ A ist ein Weihnachtsbaum mit Feuerwerkskörpern.
- ☐ B ist eine Begrüßung für den Winter.
- ☐ C ist ein Schneemann aus Watte.
- ☐ D bekommt beim Sechseläuten Küsse.

3 Pforzheim

- ☐ A ist heute die weltweit wichtigste Schmuckstadt.
- ☐ B liegt in Ostdeutschland.
- ☐ C heißt auch Silber- und Uhrenstadt.
- ☐ D ist eine Großstadt am Rand des Schwarzwalds.

4 Der Stern auf dem Weihnachtsbaum vor dem Rockefeller Center in New York

- ☐ A kommt aus Zürich.
- ☐ B kommt aus dem Schmuckmuseum Pforzheim.
- ☐ C ist von einem Designer aus Berlin.
- ☐ D ist von Swarovski.

5 Dirndl trägt man heute manchmal noch

- ☐ A bei großen Festen.
- ☐ B in Norddeutschland.
- ☐ C im Büro und auf der Straße.
- ☐ D immer dann, wenn Touristen kommen.

6 In der Schweiz

- ☐ A sprechen fast alle Menschen Deutsch.
- ☐ B sprechen fast $2/3$ der Bevölkerung Deutsch.
- ☐ C lernen alle Schüler Französisch als Fremdsprache.
- ☐ D spricht fast jeder Vierte Italienisch.

7 Trachten aus Deutschland, Österreich und der Schweiz

- ☐ A kann man auf dem Land in den kleinen Dörfern sehen.
- ☐ B kann man bei besonderen Festen und Feiern sehen.
- ☐ C sieht man nur noch im Museum.
- ☐ D sind gleich.

8 In Deutschland, Österreich und der Schweiz

- ☐ A ist die Mode relativ ähnlich.
- ☐ B tragen die Menschen immer Dirndl und Janker.
- ☐ C ist die Bekleidung sehr unterschiedlich.
- ☐ D tragen alle Männer Hüte.

9 Die Menschen in Deutschland, Österreich und der Schweiz

- ☐ A sprechen mit verschiedenen Dialekten.
- ☐ B sprechen gleich, schreiben aber unterschiedlich.
- ☐ C sprechen und schreiben alle Standarddeutsch.
- ☐ D haben alle Deutsch als Fremdsprache gelernt.

10 Im Ruhrgebiet

- ☐ A gibt es viele Goldbergwerke.
- ☐ B macht man am Nationalfeiertag viel Sport.
- ☐ C leben viele Menschen aus Polen oder mit polnischen Vorfahren.
- ☐ D wird viel Kristallglas produziert.

B Drei Universitätsstädte

Bern

Stuttgart

Wien

1 Vergleichen Sie die Städte und Universitäten Bern, Stuttgart und Wien mithilfe der Tabelle.

groß – klein • viel – wenig • alt – jung

Name	Bern	Stuttgart	Wien
Größe	51,60 km²	207,36 km²	414,89 km²
Bevölkerung	129.418	600.068	1.697.982
hat eine Universität seit	1834	1967*	1365
Studierende	ca. 13.500	ca. 20.500	ca. 85.000
Ausländische Studierende	ca. 1.500	ca. 5.000	ca. 16.000

* seit 1876 Technische Hochschule

> Stuttgart ist kleiner als Wien.

> Die Universität in Wien ist älter als die Universität in Stuttgart.

2 Sammeln Sie Fragen zum Thema „Studieren in Deutschland, Österreich oder der Schweiz".

> – Wie gut muss ich Deutsch können?
> – Brauche ich ein Visum?
> – ...

3 Lesen Sie die Texte und suchen Sie nach Antworten auf Ihre Fragen.

D

Studium in Deutschland

Wenn Sie in Deutschland studieren möchten, benötigen Sie einen Schulabschluss (z. B.: High School Diploma, Gao Kao, Bachillerato) und eventuell auch eine Aufnahmeprüfung an einer Hochschule in Ihrer Heimat. Ihr Schulabschluss muss dem deutschen Abitur entsprechen. In der Regel müssen Sie ausreichende Deutschkenntnisse nachweisen. Das geschieht durch die erfolgreiche Teilnahme an der „Deutschen Sprachprüfung für den Hochschulzugang ausländischer Studienbewerber" (DSH) oder durch die Prüfung „TestDaF".

So müssen Sie vorgehen, um in der Schweiz zu studieren:

a. Aufnahmegesuch

Nehmen Sie fristgerecht mit der von Ihnen gewählten Hochschule Kontakt auf. Mit der Post müssen Sie das Original oder eine beglaubigte Kopie Ihres Zulassungsausweises (Maturität, Abitur etc.) und ein aktuelles Passbild schicken.

b. Einreise und Aufenthalt

Als EU-/EFTA-Staatsangehörige/r melden Sie sich innerhalb von 14 Tagen bei der Gemeindebehörde Ihres Wohnortes an und beantragen die Aufenthaltsbewilligung. Nötig sind: persönliches Aufenthaltsgesuch, gültiges Reisedokument (z. B. Ihr Reisepass), die Aufnahmebestätigung der Hochschule, Nachweis, dass die finanziellen Mittel für das Studium gesichert sind, Nachweis einer Wohnadresse, 2 Passfotos

das Aufnahmegesuch = die Bitte um einen Studienplatz an einer Hochschule/Universität
das Aufenthaltsgesuch = die Bitte, sich im Land aufhalten zu dürfen
die Aufenthaltsbewilligung = die Erlaubnis für den Aufenthalt im Land

Universität Bern

In der Schweiz gibt es 12 staatliche Universitäten/ Hochschulen. Deutsch spricht man an den Universitäten in Basel, Bern, Luzern, St. Gallen und Zürich sowie an der Eidgenössischen Technischen Hochschule Zürich. Deutsch und Französisch spricht man an der Universität Freiburg/Fribourg.

Studium in Österreich

Deine Checkliste

Vor der Ankunft:
- Studienfach und Universität auswählen
- Bewerbung um einen Studienplatz ausfüllen (Formulare direkt von der Universität oder im Internet)
- benötigte Dokumente übersetzen und beglaubigen lassen
- nach der Zulassung von der Universität: Aufenthaltsbewilligung für Studierende beantragen (beim Konsulat / bei der Botschaft in deinem Land)

Nach der Einreise nach Österreich:
- Meldezettel am Gemeindeamt innerhalb von drei Tagen ausfüllen
- Immatrikulation: erste Anmeldung an der Universität, hier bekommen Sie einen Studierendenausweis und einen Zahlschein für die Studiengebühren

Universität Wien

Die Universität Wien ist die zweitälteste Universität in Europa und die älteste und größte Universität im gesamten deutschen Sprachraum.

4 Welche Fragen sind nicht beantwortet? Wo können Sie die Informationen bekommen?

Start an der Universität

5 Lesen Sie den Aushang der Fachschaft am schwarzen Brett und beantworten Sie die Fragen zum Text.

Fachschaft

Herzlich willkommen, liebe Erstsemester!

Wir (die Fachschaft Architektur) wünschen euch einen angenehmen Start in das Uni-Leben!

Hier ein paar wichtige Termine für die erste Semesterwoche:

Fachschaft Architektur

➤ Am **Montagabend** findet das große Willkommensfest der gesamten Uni statt: Der Präsident begrüßt alle Erstsemester im **Audimax**[1]. Beginn: **18 Uhr**.

➤ **Dienstagnachmittag** um **15:00 Uhr** habt ihr die Möglichkeit, mit netten Architekturstudierenden aus dem dritten Semester eine Uni-Führung zu machen. Sie zeigen euch alle wichtigen Orte. Treffpunkt: **hier vor dem Fachschaftsraum.**

➤ Am **Mittwoch** solltet ihr früh aufstehen: Um **8:30 Uhr** stellen sich die Professoren des Fachbereichs Architektur im **Hörsaal H 18** vor. Anschließend erklären wir (die Fachschaft) euch den Studienverlauf.

Wenn ihr danach noch Fragen zum Studium habt, könnt ihr auch gerne zu uns in die Fachschaft kommen, uns eine E-Mail schreiben oder uns anrufen. Öffnungszeiten, Telefonnummer und E-Mail-Adresse stehen hier am schwarzen Brett.

➤ **Mittwochnachmittag** – Ihr kennt jetzt schon einige Orte an der Uni, einige Professoren und wahrscheinlich uns, aber noch nicht die Stadt. Damit sich das ändert, haben wir eine Stadt-Rallye[2] für euch vorbereitet. Natürlich bekommt ihr Aufgaben rund um das Thema Architektur, die ihr in kleinen Teams lösen müsst. Eine prima Gelegenheit, die anderen „Architektur-Erstis" etwas näher kennenzulernen. Start ist hier **vor der Fachschaft** um **15:00 Uhr**.

Wir freuen uns schon auf euch!

Eure Fachschaft Architektur

Alex, Bernd & Chris

---

[1] das Audimax = Abkürzung für „Auditorium maximum", der größte Hörsaal
[2] die Rallye = hier: Rundgang in der Stadt mit Aufgaben

A Wo hängt der Zettel?
B Wer sind Alex, Bernd & Chris?
C Wann erfährt man etwas über das Studium?
D Wer macht die Uni-Führung?
E Welchen Termin finden Sie am wichtigsten? Warum?

6 Wann waren Sie neu an einer Schule, Sprachschule oder Universität? Was oder wer hat Ihnen geholfen, sich zu orientieren? Berichten Sie.

Meinungen eines Architekturstudenten

7 **Lesen Sie das Berufsprofil und ergänzen Sie.**

Wissen • auch • ist • über • Sie • bei • sind • oder • Architekten • die

_____ planen Gebäude, entwerfen Innenräume _____ auch ganze Stadtteile. _____ gestalten

_____ Form von Räumen. Wichtige Aspekte _____ ihrer Arbeit _____ die Ästhetik und die

Funktion von Gebäuden. Ihre Arbeit _____ kreativ und künstlerisch, braucht aber _____ viel

technisches _____ _____ Materialien.

8 **Suchen Sie für ein anderes Studienfach Wörter (mindestens 4 Nomen, 2 Verben und 2 Adjektive) und schreiben Sie ein kurzes Berufsprofil und lesen Sie vor.**

9 **Lesen Sie das Gespräch von zwei Studenten, schreiben Sie eine Antwort auf die letzte Frage und lesen Sie sie vor.**

Martin, du studierst doch Architektur. Willst du später auch mal ein Großprojekt planen wie den „Triangle" in Paris oder diesen Turm in Bangkok?

Ich glaube nicht. Das ist mir alles zu groß. Alles wird immer breiter, höher, größer. Ich finde es wichtiger, gute Lösungen für „normale" Privathäuser zu finden.

Und an was denkst du da?

Ich möchte Gebäude entwerfen, die Energie sparen oder sogar produzieren. Mit Solarelementen zum Beispiel. Heute bauen die meisten ein Dach und auf das Dach kommen dann Solarelemente. Man könnte aber Material sparen und anders bauen, wenn man nur ein Element mit beiden Funktionen hätte. Also ein Dachelement, das Solarstrom produziert.

Was hältst du von „intelligenten Häusern"?

Wenn du mit „intelligent" so ein Haus meinst, in dem die Dusche „Guten Morgen" sagt, wo überall Bildschirme sind und wo der Kühlschrank über das Internet die Tiefkühlpizza bestellt – so etwas finde ich nicht sinnvoll. Es gibt aber intelligente Systeme, die helfen, Energie zu sparen. Die stellen zum Beispiel die Heizung aus, wenn man das Fenster aufmacht. Das finde ich gut.

Findest du unsere Uni-Gebäude schön?

Für mich ist da nicht nur die Ästhetik entscheidend. Die Nutzung ist auch wichtig. Ich finde auch Fabrikhallen faszinierend. Unsere Uni-Gebäude sind aus den 60ern oder 70ern. Sie sind eben funktional. Und sie funktionieren als Gebäude, in denen man lernt. Aber sag mal, in was für einem Haus würdest du gerne wohnen? Wie sieht dein Traumhaus aus?

Landschaften – ein Spiel

10 Sehen Sie sich den Plan an und lesen Sie die Spielregeln. Markieren Sie Ihre Lösung im Plan und berichten Sie anschließend im Kurs über Ihre Lösung.

Stadt + ca. 100 km	Gebirge ab 2000 m	Nationalpark / Wald	Fluss	See	Küste
Basel			der Rhein		
Berlin		der Spreewald	die Spree	die Müritz	
Bremen			die Weser		die Nordsee
Dortmund		das Sauerland, der Teutoburger Wald	die Ruhr		
Düsseldorf/ Köln		das Bergische Land	der Rhein		
Dresden			die Elbe		
Frankfurt		der Spessart, der Taunus	der Main		
Hamburg			die Elbe		die Nordsee, die Ostsee
Hannover		das Weserbergland	die Leine	das Steinhuder Meer	
Innsbruck	die Alpen		der Inn		
Leipzig			die Weiße Elster		
Mannheim/ Heidelberg		der Spessart	der Neckar		
München	die Alpen		die Isar	der Starnberger See	
Nürnberg		Nationalpark Bayrischer Wald	die Pegnitz		
Salzburg	die Alpen		die Salzach	der Wolfgangsee	
Stuttgart		der Schwarzwald	der Neckar		
Wien	die Alpen	Nationalpark Donau-Auen	die Donau	der Neusiedler See	
Zürich	die Alpen		die Limmat	der Zürichsee	

Spielregeln:

Stellen Sie sich vor: Sie landen mit dem Flugzeug auf dem Flughafen in Frankfurt am Main (FRA) und haben ein paar Tage Zeit für Deutschland, Österreich und die Schweiz.

Sie können mit dem ICE von Stadt zu Stadt fahren oder von einem Flughafen (✈) zu einem anderen fliegen.

Ihr Ziel ist es, die 5 Landschaftstypen (Gebirge, Wald, Fluss, See und Küste) zu „besuchen". Wo Sie welche Landschaft sehen können, steht in der Liste. Die Gebirge, Wälder usw., die Sie in der Liste finden, sind nicht weiter als 100 km von der genannten Stadt entfernt.

Sie haben 5 Minuten Zeit. Wählen Sie eine Strecke aus, markieren Sie diese im Plan und berichten Sie über Ihre Strecke im Kurs.

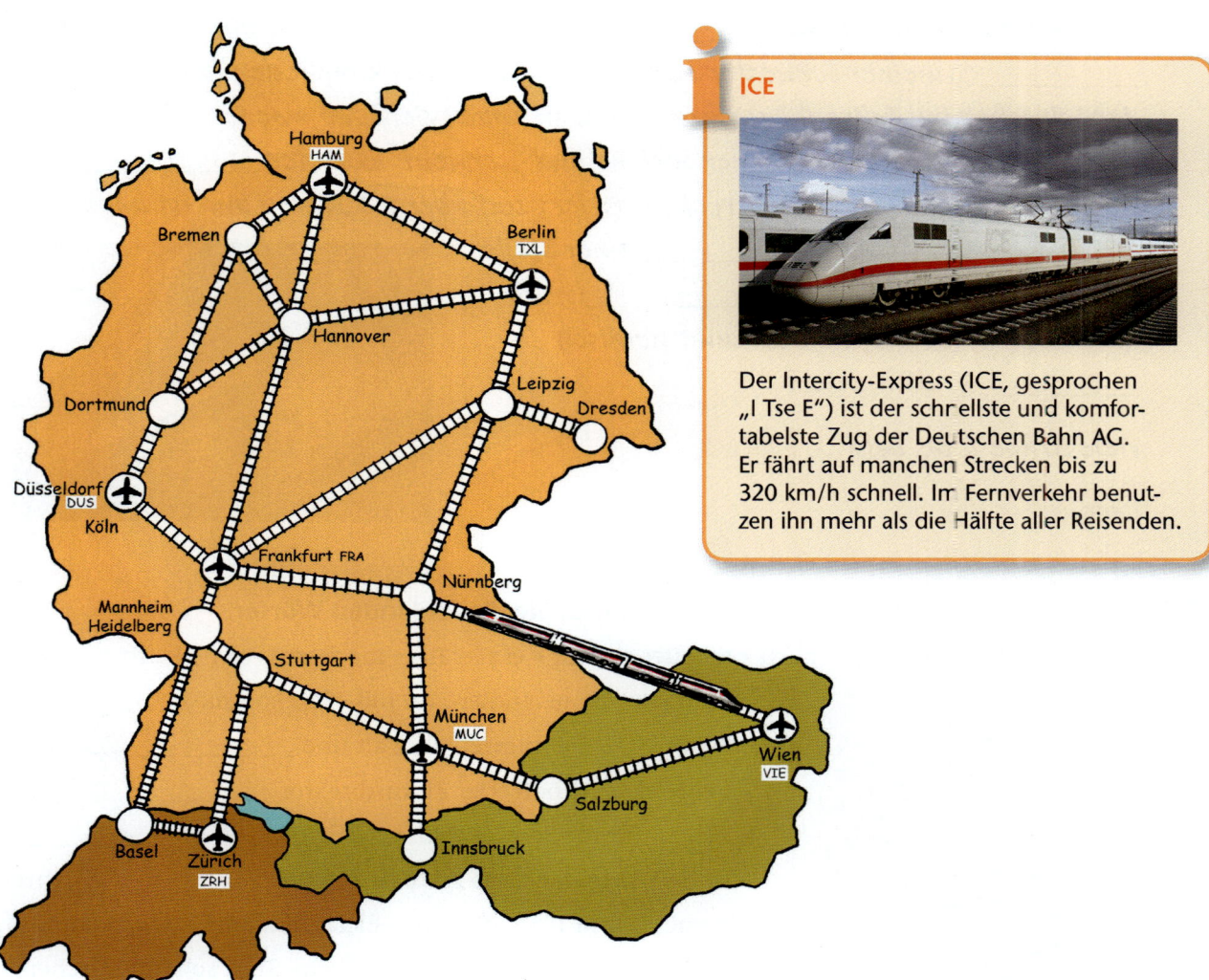

ICE

Der Intercity-Express (ICE, gesprochen „I Tse E") ist der schnellste und komfortabelste Zug der Deutschen Bahn AG. Er fährt auf manchen Strecken bis zu 320 km/h schnell. Im Fernverkehr benutzen ihn mehr als die Hälfte aller Reisenden.

Zuerst fahre ich mit dem ICE von Frankfurt nach …
Ich fliege von … nach …
Von … aus kann ich an die Nordsee kommen.
In … kann ich den Rhein sehen.
In der Nähe von … ist der Nationalpark Bayrischer Wald.
Der Zürichsee ist in der Nähe von …

Die Wuppertaler Schwebebahn

11 Lesen Sie den Postkartentext und ergänzen Sie die Präpositionen.

auf • über • an • mit • bei • in • von • über • an

> Hallo Carsten,
>
> normalerweise bekommst du ja E-Mails _____① mir,
> aber weil ich weiß, dass du ein Eisenbahn- und Technik-Fan bist, musste ich dir diese
> Postkarte einfach kaufen. Jede Stadt hat Busse, Straßenbahnen oder eine U-Bahn.
> Aber diese Bahn gibt es nur _____② Wuppertal. Ich bin für ein paar Tage hier
> _____③ meiner Schwester Martina zu Besuch und kann jeden Tag _____④
> der Schwebebahn fahren! Das würde dir sicher auch viel Spaß machen! Sie ist elekt-
> risch, hängt _____⑤ einer Schiene und „schwebt" 12 Meter _____⑥ dem
> Fluss (der Wupper). Die Bahnstrecke existiert seit über 110 Jahren und ist ungefähr
> 13 Kilometer lang. Und _____⑦ einer Stelle
> fährt die Schwebebahn auch _____⑧ der
> Autobahn. Jetzt bist du bestimmt neidisch
> _____⑨ mich, oder?
>
> Viele Grüße & bis bald
>
> Lars

Name: Wuppertal
Bundesland: Nordrhein-Westfalen
Größe: 168,41 km²
Einwohner: ca. 355.000
Lage: an der Wupper,
ca. 30 km östlich von Düsseldorf,
ca. 40 km nordöstlich von Köln

12 Lesen Sie die Geschichte von Tuffi und ergänzen Sie die fehlenden Wörter.

keine • Schwebebahn • mit • nach • arbeitet • nicht • ein • fällt • machen • oder • kauft • schwer

Tuffi kommt aus Indien. Im Juli 1950 kommt sie _____① Wuppertal. Sie ist zwei Jahre alt und _____② schon für den Zirkus Althoff. Der Zirkusdirektor _____③ vier Tickets für die Schwebebahn, weil Tuffi 700 kg _____④ ist. Der Direktor, viele Zeitungsreporter _____⑤ ihren Kameras und Tuffi, die junge Elefantendame, steigen am 21. Juli in die _____⑥ ein. Tuffi soll ein bisschen Wer-bung für den Zirkus _____⑦. Aber aus dem Foto-Termin in der Schwebebahn wird leider _____⑧ Unfall. Vielleicht haben die Geräusche der Schwebebahn _____⑨ die Blitzlichter der Kameras Tuffi erschreckt. Sie wird nervös, bricht durch eine Seitenwand der Schwebebahn und _____⑩ in die Wupper. Zum Glück ist Tuffi _____⑪ verletzt. Der Unfall aber wird sehr bekannt. Es gibt _____⑫ echten Fotos von dem Unfall, aber eine Fotomontage als Postkarte.

StattAuto München

13 Lesen Sie den Erfahrungsbericht über StattAuto München und beantworten Sie die Fragen.

Erfahrungsbericht von Markus

Ich bin jetzt seit zwei Jahren Mitglied bei StattAuto München und bin sehr zufrieden. Vorher hatte ich selbst ein Auto. Ich bin aber lieber mit Bus und U-Bahn zur Arbeit gefahren, weil es in München ganz oft Stau gibt. Und ich habe mich früher über viele Dinge geärgert: Steuern, Versicherung, Benzinpreise, Reparaturen, …

Jetzt muss ich mich um diese Sachen nicht mehr kümmern. Das macht alles StattAuto. Wenn ich ein Auto brauche, kann ich einfach bei StattAuto anrufen und ein Auto reservieren. Das geht auch im Internet. 24 Stunden am Tag. Und es klappt fast immer. Bei StattAuto kann ich verschiedene Fahrzeugtypen ausleihen: Kleinwagen für den Stadtverkehr, Kombis für den Familienausflug oder sogar Transporter für den Möbelkauf. Insgesamt hat StattAuto München etwa 200 Fahrzeuge an 70 Stationen in der Stadt. Man kann ein Auto stunden-, tage- oder wochenweise leihen und es ist für mich viel billiger als das eigene Auto.

A Was musste Markus früher für sein Auto bezahlen?
B Wie kann man bei StattAuto ein Auto reservieren?
C Welche Fahrzeugtypen gibt es bei StattAuto?

TÜV & HU:
Verkehrssicherheit in D-A-CH
In der Schweiz bekommen Autobesitzer eine Einladung zur „Motorfahrzeugkontrolle". Ein neues Auto muss zum ersten Mal nach vier Jahren, dann nach drei Jahren und dann immer alle zwei Jahre zur Untersuchung. In Österreich müssen neue Autos nach drei Jahren zum ersten Mal zu einer Untersuchung. Danach nach zwei Jahren und dann jedes Jahr. Besteht das Auto die Prüfung, bekommt das Auto eine Plakette (in Österreich ein „Pickerl").
In Deutschland muss jedes Auto nach zwei Jahren zur „Hauptuntersuchung" (HU). Bei der HU werden bestimmte Teile des Autos (z. B. Licht und Bremsen) kontrolliert. Auch hier gibt es eine Plakette, aber auf das Nummernschild. Die HU hat früher nur der TÜV (der Technische Überwachungsverein) gemacht, deswegen sagen Deutsche oft noch: „Mein Auto muss wieder zum TÜV."

Autofreies Zermatt

14 Welche Verkehrsmittel gibt es in Ihrer Stadt? Welche benutzen Sie. Vergleichen Sie mit dem Foto von Zermatt.

am Bahnhof Zermatt

15 Arbeiten Sie zu zweit. Lesen Sie sich die Texte langsam vor. A liest, B macht sich Notizen. Danach liest B und A macht Notizen. Schließen Sie dann das Buch und erzählen Sie sich etwas über Zermatt. Ihre Notizen helfen.

Zermatt mit Blick auf das Matterhorn

Zermatt

A

Das Matterhorn gehört zu den höchsten Bergen der Schweiz. Es ist 4478 Meter hoch. Viele sagen, dass das Matterhorn auch der schönste Berg der Schweiz ist. Am Fuß des Matterhorns liegt Zermatt auf einer Höhe von etwa 1610 Metern. Hier scheint an 300 Tagen im Jahr die Sonne und es gibt weniger Regen als sonst in der Schweiz. Es gibt hier mehr als 400 Kilometer Wanderwege und Skifahren ist in Zermatt an 365 Tage im Jahr möglich. Einige Ski-Nationalmannschaften trainieren hier im Sommer. In Zermatt machen aber nicht nur Skifahrer Urlaub, auch Bergsteiger aus aller Welt kommen hierher.

B

Pro Jahr kommen über 400.000 Touristen in die Gemeinde im Kanton Wallis. Zermatt hat nur etwa 5.600 Einwohner, aber über 100 Hotels und mehr als 15.000 Betten für die Feriengäste. Autos müssen 6 Kilometer vor Zermatt stehen bleiben. Dort gibt es ein großes Parkhaus. Vom Parkhaus fahren Züge im 20-Minuten-Takt nach Zermatt. Denn hier sind seit 1947 Autos mit Verbrennungsmotor verboten. In Zermatt dürfen nur Elektrofahrzeuge fahren, deshalb ist die Luft auch so sauber. Und die Elektrofahrzeuge dürfen nur 20 Stundenkilometer fahren. Die Elektroautos sind besonders umweltfreundlich, weil die Schweiz den elektrischen Strom zum größten Teil mit Wasserkraft produziert.

16 Stellen Sie sich vor: In Ihrer Stadt gibt es keine Autos. Was ist dann anders? Was können Sie dann (nicht mehr) machen?

Lieblingsorte in Deutschland

17 Sehen Sie sich die Bilder an und ergänzen Sie die Städtenamen und Orte.

Städte
Berlin • Hamburg • Köln • München •
Münster • Paderborn • Quedlinburg • Speyer •
Wittenberg • Wuppertal

Orte
Brandenburger Tor • ~~Dom~~ • ~~Hafen~~ •
Hofbräuhaus • Prinzipalmarkt • Kaiser- und
Mariendom • mittelalterliche Altstadt •
Rathausplatz • Schlosskirche • Schwebebahn

A
☐ Der _ _ _ _ _ _ _er
Hafen

B
☐ Das _ _ _ _ _ _ _ _ -
_ _ _ _ _ _ _ Tor
in _ _ _ _ _ _

C
☐ Der _ _ _ _ _ _ _ -
_ _ _markt in
M_ _ _ _ _r

D
☐ Der _ _ _ _ _ _ _ _ -
platz in
P_ _ _ _ _ _ _ _

E
☐ Die _ _ _ _ _ _ _ -
_ _ _er
_ _ _ _ _ _ _ bahn

F
☐ Die _ _ _ _ _ _ _ -
_ _ _ _ _ _ -
_ _ _ _ _ Altstadt in
Q_ _ _ _ _ _ _ _ _ _ _

G
☐ Der _ _ _ _er
Dom

H
☐ Die _ _ _ _ _ _ _ _ -
kirche in
_ _ _ _ _ _berg

I
☐ Der _ _ _ _ _ _ _ - und
_ _ _ _ _ _ dom
in _ _ _ _ _ _

J
☐ Das _ _ _ _ _ _ _ _ -
haus in
_ _ _ _ _ _ _

18 Welcher Ort gefällt Ihnen am besten? Vergleichen Sie im Kurs oder machen Sie eine Hit-Liste und vergleichen Sie mit den Ergebnissen von deutschen Fernsehzuschauern (Liste in den Lösungen).

19 Suchen Sie die zehn Städte auf einer Deutschlandkarte. In welchem Bundesland liegen die meisten Städte?

Wiener Klassik

1 **Lesen Sie die Texte und ergänzen Sie die Tabelle.**

Wiener Klassik

1781 zieht Mozart nach Wien. Auch Haydn ist oft in der Stadt. Das ist der Beginn der „Wiener Klassik". Zur Wiener Klassik zählen die drei Komponisten Haydn, Mozart und Beethoven. Sie sind sehr wichtige Meister der europäischen Musiktradition. Beethoven kommt 1792 als Haydns Schüler nach Wien. Haydn stirbt 1809 in Wien. Mit Beethovens Tod 1827 in Wien endet die „Wiener Klassik".

Haydn

Haydn wird 1732 in Rohrau (Niederösterreich) geboren. Mit acht Jahren kommt er als Sänger in die Chorschule des Wiener Stephansdoms. Haydn arbeitet zuerst als freier Musiker. Von 1761 bis 1790 leitet er das Orchester der Fürstenfamilie Esterházy. 1790 endet diese Tätigkeit und Haydn zieht als berühmter Komponist nach Wien. Für die Konzertsaison 1791/92 geht Haydn nach London. Dort dirigiert er seine Sinfonien. London ist ein großer Erfolg für ihn und er wird 1794/95 wieder eingeladen. Zwischen den beiden Aufenthalten in London ist Haydn in Wien. Hier unterrichtet er auch den jungen Beethoven.

Kaiserhymne

1797 komponiert Joseph Haydn für den österreichischen Kaiser Franz II. die Kaiserhymne „Gott erhalte Franz, den Kaiser!". 1841 schreibt Heinrich Hoffmann von Fallersleben (* 1798 - † 1874) zu dieser Melodie das „Lied der Deutschen". Die 3. Strophe ist heute zusammen mit der Haydn-Melodie die deutsche Nationalhymne.

Ei - nig - keit und Recht und Frei - heit
Da - nach laßt uns al - le stre - ben

für das deut - sche Va - ter - land!
brü - der - lich mit Herz und Hand!

Mozart

Mozart wird 1756 in Salzburg geboren. Mit vier Jahren beginnt der Musikunterricht bei seinem Vater. Er hat ein großes Talent für Klavier und Violine. Mit sechs Jahren gibt Mozart seine ersten Konzerte in München und Wien. 1763 macht die Familie eine große Tournee. Dreieinhalb Jahre reisen die Mozarts durch Westeuropa und geben Konzerte, zum Beispiel in Heidelberg, Frankfurt, Köln, Brüssel, Paris, London, Amsterdam, Bern und Zürich. 1764/65 komponiert Mozart seine ersten Sinfonien. Nach verschiedenen Stellen in Salzburg und größeren Reisen (mehrmals nach Italien) geht er 1781 als freier Künstler nach Wien.

Die Zauberflöte

„Die Zauberflöte" ist wahrscheinlich die weltweit bekannteste deutschsprachige Oper. 1791 findet in Wien die erste Aufführung von Mozarts „Zauberflöte" statt. Die Oper ist ein großer Erfolg für ihn. Ein paar Wochen nach der Aufführung wird Mozart krank und er stirbt im gleichen Jahr im Alter von 35 Jahren.

Beethoven

Beethoven wird 1770 in Bonn geboren. Er soll ein „Wunderkind"
wie Mozart werden. Er muss deshalb sehr früh mehrere Musik-
instrumente lernen. 1782 veröffentlicht Beethoven erste Kompo-
sitionen. Mit 14 Jahren bekommt er eine feste Stelle als Musiker.
1787 möchte er bei Wolfgang Amadeus Mozart studieren. Mozart kann sich aber nicht um Beethovens Ausbildung kümmern.
1792 kommt Beethoven dann als Schüler von Joseph Haydn
nach Wien. Beethoven ist schnell als Komponist und Pianist bekannt.

Konversationshefte

Ab 1819 ist Ludwig van Beethoven völlig taub, Gespräche sind nicht mehr möglich. Deshalb hat er immer ein Notizbuch und einen Bleistift bei sich. In das
„Konversationsheft" schreiben Beethovens Gesprächspartner ihre Fragen, Antworten und Aussagen. So sind viele der Gesprächsthemen dokumentiert.

An die Freude

1786 schreibt Friedrich Schiller das Gedicht „An die Freude". 1824 komponiert
Beethoven in seiner 9. Sinfonie zu diesem Text eine Melodie. In der Sinfonie singt
ein Chor den Text von Schiller. Seit 1985 ist die Melodie von Beethoven die Hym-
ne der Europäischen Union. Die „Europahymne" ist instrumental, denn Musik
können auch Menschen mit unterschiedlichen Sprachen verstehen.

Name	Vorname(n)	geboren	gestorben	bekanntes Musikstück
Haydn	_____	Jahr: _____ Ort: _____	Jahr: _____ Ort: _____	_____
Mozart	_____ _____	Jahr: _____ Ort: _____	Jahr: _____ Ort: _____	_____
van Beethoven	_____	Jahr: _____ Ort: _____	Jahr: _____ Ort: _____	_____

2 **Suchen Sie im Internet die Seiten der Bundesrepublik Deutschland und/oder der Europäischen
Union und hören Sie sich die Hymnen an.**

Weitere Informationen zu den drei Komponisten finden Sie z. B. auf den Internetseiten von:
– Beethoven-Haus Bonn
– Haydnhaus Wien
– Internationale Stiftung Mozarteum

Deutsche Hits

3 Lesen Sie die Wörter und malen oder zeichnen Sie dazu ein Bild in den Bilderrahmen. Was ist leicht zu zeichnen? Was geht nicht? Warum? Beschreiben Sie Ihre Bilder im Kurs.

Abenteuer • Baum • Brücken • Freude • Frieden • Junge • Luftballons • Stein • Wind • Wolken

4 Setzen Sie die Wörter aus Aufgabe 3 in die Liedertitel ein.

Jahr	Titel	Platz	Sänger / Band / Komponist
1995	_____land	5	Pur
1991	_____ of Change	1	Scorpions
1983	99 _____	9	Nena
1982	Ein bisschen _____	7	Nicole
1979	Über sieben _____ musst du gehn	2	Karat
1976	Alt wie ein _____	6	Puhdys
1974	Über den _____	4	Reinhard Mey
1965	Marmor, _____ und Eisen bricht	10	Drafi Deutscher
1963	_____ , komm bald wieder	8	Freddy Quinn
1824	Ode an die _____	3	Schiller/Beethoven

Nena

Diese Lieder haben deutsche Fernsehzuschauer als „Jahrhunderthits" gewählt. Die Lieder mussten entweder auf Deutsch gesungen, von Deutschen interpretiert oder komponiert sein. Zur Wahl standen Hits aus den letzten Jahrzehnten und Jahrhunderten (egal ob Klassik, Schlager, Rock-, Pop- oder Volksmusik).

5 Sammeln Sie im Kurs: Welche deutschsprachigen Lieder/Songs kennen Sie? Machen Sie eine Hitliste „Unsere Besten" z. B. an der Tafel.

Titel	Band, Sänger/-in, Komponist	
Engel	Rammstein	III
Ich weiß nicht, was soll es bedeuten	?	II
Wünsch dir was	Die Toten Hosen	I
Durch den Monsum	Tokio Hotel	III

Rockfestival

6 Sortieren Sie die SMS in der zeitlichen Reihenfolge und erzählen Sie, was passiert ist.

A ☐
Hallo Kalle. Malte und ich sind endlich da. Fast zwei Stunden Stau! Wo stehen eure Zelte? Habt ihr noch Platz für uns?
16:47

von Petra

B ☐
Hab deine SMS erst jetzt gesehen. Seid ihr auf dem richtigen Zeltplatz? Wir sind auf Platz B. Ich komme gleich zu den Zelten, brauch noch meine Jacke. Bis gleich
18:21

von Kalle

C ☐
Sind schon vor der Bühne. Kenne die Band nicht, aber die Musik ist super! Kommt schnell. Unsere Zelte sind in Reihe 5 ganz am Ende. Euer Zelt passt da noch hin.
16:53

von Kalle

D ☐
Danke! Bauen unser Zelt auf und kommen dann auch zur Bühne.
17:01

von Petra

E ☐
Sind auf A ... Wartest du bei den Zelten auf uns? Kommen gleich.
18:22

von Petra

F ☐
Sind in Reihe 5 am Ende - aber wo sind eure Zelte? Wir suchen seit einer halben Stunde!
17:33

von Petra

7 Lesen Sie den Text. Schreiben Sie dann selbst zu einem Buchstaben einen kurzen Tipp (ernst oder lustig) und lesen Sie ihn im Kurs vor.

Du warst noch nie auf einem Open-Air-Festival? Du hast alles wieder vergessen? Dann hilft dir das kleine

Festival-ABC

Anreise/Anfahrt – Du brauchst: ein altes Auto, vier Freunde, gute Musik und eine Campingausrüstung. Du packst deine Freunde zwischen Zelt, Schlafsäcke, Konservendosen und Getränke, machst die Musik an und fährst los. Wenn ihr kurz vor dem Festival in einen Stau kommt (Wahrscheinlichkeit: 99 %) – nicht ärgern. Ihr seid zu fünft. Macht eine Spontan-Party!

…

Campingkocher – ist leer oder funktioniert nicht, wenn du hungrig vor deinen (noch kalten) Ravioli sitzt. Jetzt hilft nur noch eins: Kommunikation. Übe schon vor dem Festival den Satz: „Entschuldigung, darf ich mir euren Campingkocher kurz ausleihen?"

…

Müllsack – extrem praktisch: Bei Regen ein Loch für den Kopf in den Sack machen, anziehen und fertig ist die Regenjacke. Vorher den Müll rausnehmen!

Die Salzburger Festspiele

8 Lesen Sie die Werbung und beantworten Sie die Fragen.

3-Tage-Reise zu den Salzburger Festspielen / Premiere Jedermann
Reisetermin: 24.–26. Juli

Sommer — Festspielzeit in der Barockstadt an der Salzach: weltbekannte Dirigenten, Regisseure, Sänger und Schauspieler und die Crème de la Crème der Gesellschaft kommen nach Salzburg. Die ganze Stadt ist Bühne! Der Schriftsteller Hugo von Hofmannsthal, der Komponist Richard Strauss und der Regisseur Max Reinhardt haben die Festspiele 1920 mit Hofmannsthals Theaterstück „Jedermann" ins Leben gerufen. Heute stehen etwa 180 Veranstaltungen auf dem Festspielprogramm: Opern, Konzerte, Schauspiele und Lesungen. Und ein Höhepunkt sind auch in diesem Jahr wieder die „Jedermann"-Aufführungen vor dem Dom.

Reiseverlauf

Samstag, 24. Juli: Individuelle Anreise nach Salzburg, Check-in im Hotel.

Sonntag, 25. Juli: Nach dem Frühstück im Hotel fahren Sie auf den Festungsberg oberhalb der Stadt und besichtigen eine der größten Burgen Europas - die Festung Hohensalzburg aus dem 11. Jahrhundert. Am Nachmittag können Sie ein wenig im Hotel ausruhen. Denn am frühen Abend fahren Sie zum ältesten Restaurant Europas: dem Stiftskeller St. Peter. Hier genießen Sie Ihr Festspielmenü. Auf dem Domplatz (bei schlechtem Wetter im Großen Festspielhaus) erleben Sie dann die Premiere des „Jedermann". Und nach der Aufführung geht es zum Dessert noch einmal in den Stiftskeller St. Peter.

Montag, 26. Juli: Frühstück im Hotel. Wenn Sie möchten, gehen Sie noch in die „schönste Einkaufsstraße Österreichs", in die Getreidegasse, oder besuchen dort das Mozart-Geburtshaus. Individuelle Heimreise.

A Wann finden die Salzburger Festspiele jedes Jahr statt?
B Wer hat die Salzburger Festspiele gegründet?
C Welches Theaterstück kann man jedes Jahr sehen?
D Wie heißt das älteste Restaurant Europas?

9 Kennen Sie ähnliche Festspiele mit klassischer/traditioneller Musik? Wann/Wo finden sie statt? Was ist das Besondere daran? Erzählen Sie.

Name: Salzburg
Status: Landeshauptstadt des Bundeslandes Salzburg
Größe: 65,678 km^2
Einwohner: ca. 148 000 (viertgrößte Stadt Österreichs)
Lage: im Nordwesten Österreichs, am Nordrand der Alpen, an der Salzach, an der Grenze zu Bayern

Hugo von Hofmannsthal: „Salzburg ist das Herz vom Herzen Europas. Es liegt in der Mitte zwischen Süd und Nord, zwischen Berg und Ebene, zwischen der Schweiz und den slawischen Ländern."

Zwei Maler im 20. Jahrhundert

10 Sehen Sie sich die zwei Bilder und die Fotos an. Vergleichen Sie die Fotos und die Gemälde.
Kreuzen Sie die Aussagen an, die Sie für richtig halten. Lesen Sie vor und vergleichen Sie.

1927

A Auf dem Bild von 1927 sehe ich
☐ eine Sonne hinter dem Wald.
☐ einen Mond hinter dem Wald.
☐ einen Kreis hinter dem Wald.
☐ keinen Wald.
☐ …

B Ich denke, der Maler
☐ hat das Bild als Kind gemalt.
☐ wollte anders malen als andere Maler.
☐ wollte etwas malen, was man auf
einem Foto nicht sehen kann.
☐ hatte Angst vor dem Wald.
☐ …

1969

C Das Bild von 1969 steht auf dem Kopf,
☐ weil das ein Fehler im Buch ist.
☐ weil das Museum es verkehrt herum aufgehängt hat.
☐ weil der Künstler es verkehrt herum gemalt hat.
☐ weil der Künstler beim Malen auf dem Kopf gestanden hat.

D Das Bild von 1969 zeigt
☐ Bäume nach einem Feuer.
☐ Bäume im Winter.
☐ Bäume im Herbst.
☐ keine Bäume.
☐ …

11 Lesen Sie die Texte über Max Ernst und Georg Baselitz. Welcher Maler hat welches Bild aus
Aufgabe 10 gemalt? Wie heißen die Bilder?

Max Ernst, * 1891 in Brühl, † 1976 in Paris,
Maler, Grafiker und Bildhauer (Dadaismus und
Surrealismus). Max Ernst war Autodidakt. Be-
rühmt sind seine Bildserien, z. B. mit Waldmo-
tiven, darunter das Bild „Der Wald" von 1927.
Er entwickelt neue Maltechniken, meint aber,
dass die Techniken für einen Künstler nicht so
wichtig sind. Wichtig ist für ihn die Fähigkeit
Sehen und die Fähigkeit, das Gesehene im
Bild zeigen zu können.

Georg Baselitz, * 1938 als Hans-Georg Kern
in Deutschbaselitz, Maler und Bildhauer,
Studium der Malerei zuerst in Ost-Berlin
(DDR), dann in West-Berlin. 1969 entsteht
„Der Wald auf dem Kopf". Er plant und malt
seine Bilder auf dem Kopf und hat 1970 die
erste Ausstellung nur mit „kopfstehenden"
Bildern. Manche meinen, dass man die Bilder
von Baselitz nicht interpretieren kann, sondern
nur ansehen.

Weimarer Klassik, Rechtschreibung und Lieblingsbücher

12 **Lesen Sie das Unterrichtsgespräch und die Steckbriefe von Goethe und Schiller und ergänzen Sie die Sätze.**

Lehrerin:	Heute wiederholen wir die „Weimarer Klassik". Passt gut auf, dann seid ihr fit für die Klassenarbeit in der nächsten Woche. Was ist die „Weimarer Klassik"? Paul?
Paul:	Mit „Weimarer Klassik" meint man die Zeit, in der Goethe und Schiller zusammengearbeitet haben. Und Texte von den beiden aus dieser Zeit, die gehören zur „Weimarer Klassik".
Lehrerin:	Kann mir jemand Beispiele für Texte der „Weimarer Klassik" nennen? Bitte.
Anne:	„Faust" von Goethe und „Wilhelm Tell" von Schiller.
Lehrerin:	„Faust" und „Wilhelm Tell" sind … ? Peter?
Peter:	Theaterstücke, also Dramen.
Lehrerin:	Und das ist auch die wichtigste Textsorte der „Weimarer Klassik". Haben Goethe und Schiller auch etwas anderes geschrieben? Luisa?
Luisa:	Goethe und Schiller haben ganz viel geschrieben, Lyrik – also Gedichte, Prosatexte, wie Goethes Roman „Wilhelm Meister Lehrjahre" zum Beispiel, und sie haben sich ganz viele Briefe geschrieben.
Lehrerin:	„Wilhelm Meister<u>s</u> Lehrjahre" heißt es, aber das ist richtig. Warum haben sich Schiller und Goethe denn Briefe geschrieben?
Matthias:	Weil es noch keine Handys gab.
alle	(*Lachen*)
Lehrerin:	Das stimmt auch, aber was war der Grund, warum sie zum Beispiel nicht direkt miteinander sprechen konnten? Ja, Paul?
Paul:	Goethe hat in Weimar gewohnt und Schiller in Jena. Deshalb. Und dann ist Schiller 1799 nach Weimar gezogen. Dann konnten Sie direkt zusammenarbeiten. Aber 1805 ist Schiller schon gestorben.
Lehrerin:	Wie war das Verhältnis zwischen Goethe und Schiller?
Luisa:	Sie waren Freunde.
Lehrerin:	War das schon immer so?
Luisa:	Am Anfang so um 1788 noch nicht. Aber später, ab 1794 haben sie eine extrem gute Freundschaft gehabt. Und als Schiller gestorben ist, hat Goethe gesagt, dass er die Hälfte seines Daseins* verloren hat.

* Dasein ≈ Leben, Existenz, *hier*: Persönlichkeit

Johann Wolfgang von Goethe, *1749 in Frankfurt am Main, † 1832 in Weimar, deutscher Dichter. Er hatte viele wichtige politische Funktionen in Weimar. Er hat Lyrik, Dramen und Prosatexte geschrieben, ebenso autobiografische, kunst- und literaturtheoretische sowie naturwissenschaftliche Texte. Sein Roman „Die Leiden des jungen Werther" machte ihn 1774 in ganz Europa berühmt. In der Zeit der Weimarer Klassik waren für ihn die Ideale der Antike wichtig.

Johann Christoph Friedrich von Schiller, * 1759 in Marbach am Neckar; † 1805 in Weimar, deutscher Dichter, Philosoph und Historiker. Schiller ist einer der bedeutendsten deutschen Dramatiker. Viele Theaterstücke von Schiller spielt man heute regelmäßig an deutschsprachigen Theatern. Auch als Lyriker war Schiller erfolgreich. Schillers Balladen gehören zu den beliebtesten deutschen Gedichten.

A Goethe ist in _____ und Schiller ist in Marbach geboren.

B Goethe und Schiller waren sehr gute

_____ .

C Die wichtigste Textsorte der „Weimarer Klassik"

war das _____ .

D Schiller ist 1799 nach Weimar _____ .

E Goethe und Schiller sind beide in Weimar _____ .

Name: Weimar
Bundesland: Thüringen
Größe: 84,26 km^2
Einwohner: ca. 65.000

Mehr Informationen zur Weimarer Klassik, zu Goethe und Schiller finden Sie zum Beispiel auf den Internetseiten der „Klassik Stiftung Weimar".

13 **Lesen Sie die beiden Anekdoten und ergänzen Sie eine passende Überschrift.**

Schön und falsch • Privat und korrekt • Schön und richtig • Kommas und Religion

A _____

Schiller änderte sehr viel an einem Theaterstück und der Text musste mit allen Änderungen in der richtigen Reihenfolge neu geschrieben werden. Deshalb diktierte Schiller einem Mann den kompletten Text. Der Mann hatte eine besonders schöne Handschrift. Als der Schreiber fertig war, hatten viele Wörter Rechtschreibfehler und fast alle Namen waren falsch geschrieben. Schiller ärgerte sich natürlich und er konnte nicht verstehen, dass jemand so schön schreibt und gleichzeitig so viele Fehler macht.

B _____

Als Goethe 70 Jahre alt war, sprachen mehrere Männer mit ihm über die deutsche Rechtschreibung und über die Interpunktion. Man sprach über die Regeln und die Fehler, die man machen kann. Da sagte Goethe: „Ich mache immer noch Fehler. Was die Kommas betrifft" - Goethe machte eine Pause und die anderen sahen ihn erwartungsvoll an. „Was die Kommas betrifft, da kann ich mich mit dem Satz eines Kollegen beruhigen: Religion und Interpunktion sind Privatsache."

14 **Lesen Sie die Tabelle „Lieblingsbücher der Deutschen". Was ist für Sie neu oder interessant?**

1. J. R. R. Tolkien	*Der Herr der Ringe*	1969/70	
2.	*Die Bibel*	1466	
3. Ken Follett	*Die Säulen der Erde*	1990	
4. Patrick Süskind	*Das Parfum*	1985	
5. Antoine de Saint-Exupéry	*Der kleine Prinz*	1950	
6. Thomas Mann	*Buddenbrooks*	1901	
7. Noah Gordon	*Der Medicus*	1987	
8. Paulo Coelho	*Der Alchimist*	1996	
9. Joanne K. Rowling	*Harry Potter und der Stein der Weisen*	1998	
10. Donna W. Cross	*Die Päpstin*	1996	

Diese zehn Bücher haben deutsche Fernsehzuschauer im Oktober 2004 zu ihren Lieblingsbüchern gewählt. Die Jahreszahlen geben an, wann ein Buch zum ersten Mal (auf Deutsch) veröffentlicht wurde.

Ein Poetry-Slammer

15 Lesen Sie das Gespräch mit einem Poetry-Slammer und ergänzen Sie die Slam-Regeln.

Du hast gesagt, du bist ein Poetry-Slammer. Was ist das?
> Ein Poetry-Slammer schreibt Texte und performt sie auf Poetry-Slams.

„Performt"? Was meinst du damit?
> Vortragen, sprechen … Aber „performen" ist mehr. Slammer machen ihre Texte lebendig. Sie schreien, flüstern, weinen – so, wie es zum Text passt. Alles muss zusammenpassen: Slammer, Text und Vortrag.

Was für Texte werden denn auf Poetry-Slams „performt"?
> Das ist ganz unterschiedlich. Gedichte mit Reim, Gedichte ohne Reim, Rap-Texte, Kurzgeschichten, Comedy, alles, was man in fünf oder sechs Minuten vorlesen kann. Aber Texte für Poetry-Slams sind oft anders als Texte für ein Buch, weil nicht nur die Wörter da sind, sondern auch die Stimme, die Person, die Körpersprache …

Und warum heißt das „Poetry-Slam"? Gibt es da nur englische Texte?
> Nein, hier natürlich deutsche. Aber der Poetry-Slam kommt aus den USA. Das ist die Originalbezeichnung. Man kann es als „Dichterwettstreit" übersetzen. Es gibt Regeln – wie beim Sport. Das Publikum bewertet jeden Text und wählt einen Sieger.

Wie oft hast du schon gewonnen?
> Bis jetzt erst einmal. Aber das ist auch nicht so wichtig. Es macht einfach Spaß. Nächstes Jahr möchte ich gerne zu den Meisterschaften fahren.

Meisterschaften gibt es auch?
> Ja. Es gibt in Deutschland, Österreich und der Schweiz etwa 90 regelmäßige Poetry-Slams und einmal im Jahr kommen die besten Slammer zu den deutschsprachigen Poetry-Slam-Meisterschaften.

Regeln bei Poetry-Slams

Sieger • geschrieben • Minuten • Publikum • sind

A Man muss die Texte selbst _____ haben.

B Man hat 5 oder 6 _____ Zeit auf der Bühne.

C Kostüme und Requisiten _____ meistens verboten.

D Das _____ bewertet die Texte und den Vortrag und wählt einen _____ .

16 Suchen Sie ein deutsches Gedicht aus (z. B. im Internet). Sprechen Sie es mehrmals laut. Lesen Sie die Gedichte im Kurs vor (maximal 1 Minute) und stimmen Sie im Kurs ab: Welches ist das beste Gedicht?

Kleines Kultur-Labyrinth

17 Wählen Sie einen Vornamen aus, markieren Sie den Weg durch das Labyrinth farbig und lesen Sie vor.

Ludwig van	Johann Wolfgang von	Hugo von	Richard	Joseph	Wolfgang Amadeus	Johann Christoph Friedrich von	Max

Beethoven	Hoffmanns-thal	Goethe	Strauss	Schiller	Haydn	Mozart	Ernst

ist 1770 in Bonn	ist 1864 in München	ist 1874 in Wien	ist 1759 in Marbach am Neckar	ist 1749 in Frankfurt am Main	ist 1756 in Salzburg	ist 1732 in Rohrau	ist 1891 in Brühl

geboren und 1949 in Garmisch-Parten-kirchen gestorben.	geboren und 1791 in Wien gestorben.	geboren und 1827 in Wien gestorben.	geboren und 1832 in Weimar gestorben.	geboren und 1809 in Wien gestorben.	geboren und 1929 in Rodaun (bei Wien) gestorben.	geboren und 1805 in Weimar gestorben.	geboren und 1976 in Paris gestorben.

Er war Komponist	Er war Schriftsteller/Dichter.	Er war Maler.

Max Ernst ist 1891 in Brühl geboren und 1976 in Paris gestorben. Er war …

18 Formulieren Sie die ähnliche Sätze für einen Musiker/Schriftsteller oder Maler Ihres Landes.

„Und der Preisträger ist ...“

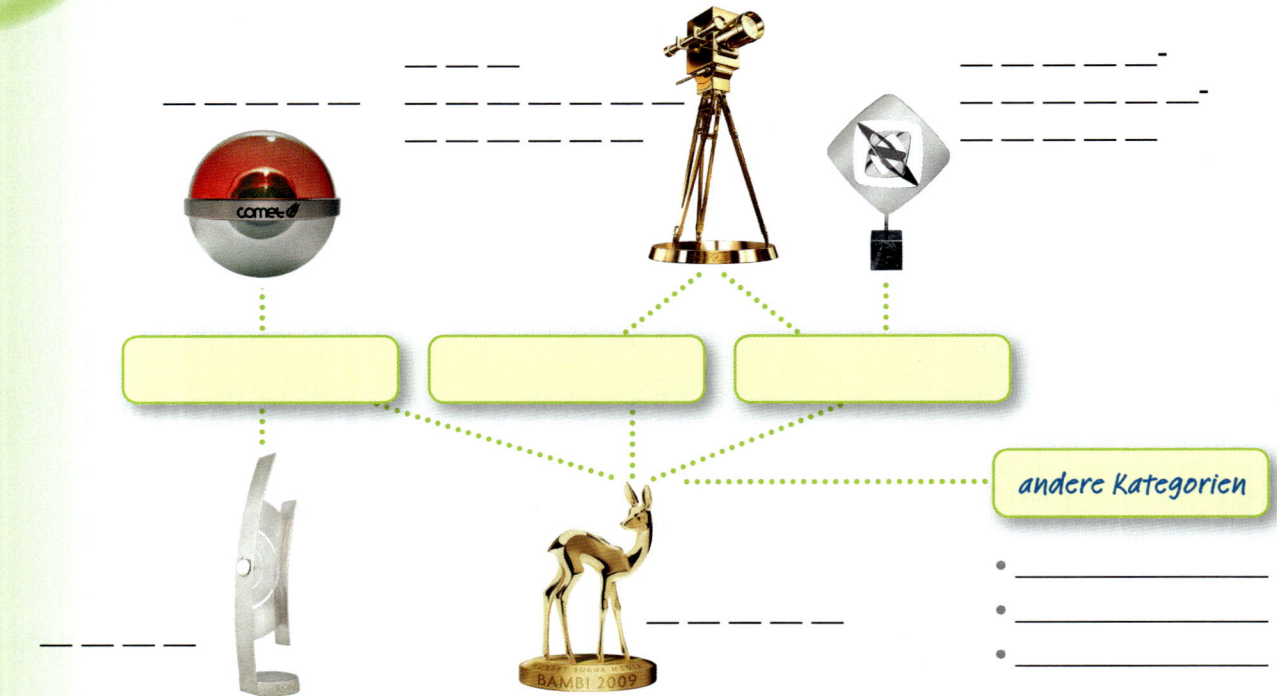

— — — — —　　　　　　— — — — —　　　　　　— — — — — -

— — — — —　　　　　　　　　　　　　　　　　— — — — — -

andere Kategorien

- _____
- _____
- _____

— — — — —　　　　　　— — — — —

1 Lesen Sie den Text und ergänzen Sie das Schaubild.

Die Goldene Kamera • Mode • <u>andere Kategorien</u> • Comet • Fernsehen • Bambi • Kino • ECHO • Adolf-Grimme-Preis • Musik • Sport • Kultur

Film-, Musik- und Medienpreise in Deutschland

Für die besten und beliebtesten Künstler gibt es verschiedene Preise in Deutschland. Die Preisverleihungen selbst sind große Medienereignisse. Wer als Musiker bereits Tonträger (z. B. CDs) veröffentlicht hat, hofft auf einen „ECHO“ oder einen „Comet“. Den „Comet“ vergibt der Musiksender VIVA seit 1995. Ihn können nur deutsche Künstler aus dem Bereich Pop- und Rockmusik bekommen. Kategorien des Preises sind z. B. „bester Künstler“, „beste Künstlerin“, „bestes Musikvideo“, „bester Song“ oder „beste Band“. Der „ECHO“ zeichnet internationale und nationale Künstler aus. Die Deutsche Phono-Akademie vergibt den Preis seit 1992 jedes Jahr. Hier entscheiden die Verkaufszahlen über die Gewinner. Im Bereich Film und Fernsehen gibt es einen Preis bereits seit 1948: den „Bambi“. Der „Bambi“ war zuerst ein Filmpreis, später konnten auch Fernsehstars einen „Bambi“ bekommen. Heute ist der Bambi ein Medienpreis. Die Kategorien sind jedes Jahr ein bisschen anders - wie das Jahr auch. So gab es etwa die Kategorien „Sport“, „Kultur“ oder „Mode“. Über die Gewinner entscheidet eine Jury. Die „Goldene Kamera“ der Fernsehzeitschrift „HÖRZU“ ist ein Film- und Fernsehpreis. Nationale und internationale Kino- und Fernsehstars können ihn seit 1965 bekommen. Die Jury besteht aus prominenten TV-Experten und Mitgliedern der „HÖRZU“-Redaktion. Und mit dem „Adolf-Grimme-Preis“ zeichnet man seit 1964 besonders gute Fernsehsendungen aus. Jeder Fernsehzuschauer kann Vorschläge für Preisträger machen. Aus den Vorschlägen wählen drei Kommissionen fünfzig bis sechzig Sendungen aus. Am Ende entscheiden drei Jurys in den Bereichen „Fiktion“, „Unterhaltung“ und „Information und Kultur“ über die Gewinner.

2 Welche anderen Film-, Musik- oder Medienpreise kennen Sie? Wer entscheidet bei diesen Preisen über die Gewinner?

3 Welchen internationalen Künstlern würden Sie in den Kategorien „Film“ und „Musik“ einen Preis geben? Sie können Ihre Wahl mit den aktuellen internationalen Preisträgern von „Goldener Kamera“, „ECHO“ oder „Bambi“ im Internet vergleichen.

Lesen und Medien

4 Lesen Sie die Aussagen A - F und ordnen Sie sich selbst
zu: Welche Aussage / welcher Lese-Typ passt am besten
zu Ihnen? Warum? Berichten Sie im Kurs.

A „Ich lese lieber am Computerbildschirm."
B „Gedruckt oder digital ist mir egal. Nur der Inhalt ist
wichtig."
C „Lesen ist für mich immer Informationsaufnahme."
D „Bücher sind für mich wie gute Freunde."
E „Lesen ist anstrengend für mich."
F „Bücher braucht man heute nicht mehr."

Ich bin so wie Lese-Typ A.
Ich habe keine Zeitung mehr. Ich lese nur
am Bildschirm, weil …

5 Was glauben Sie: Wie viele Deutsche gehören zu welchem Lese-Typ? Notieren Sie Ihre
Vermutung mit Bleistift. Vergleichen Sie mit der Lösung.

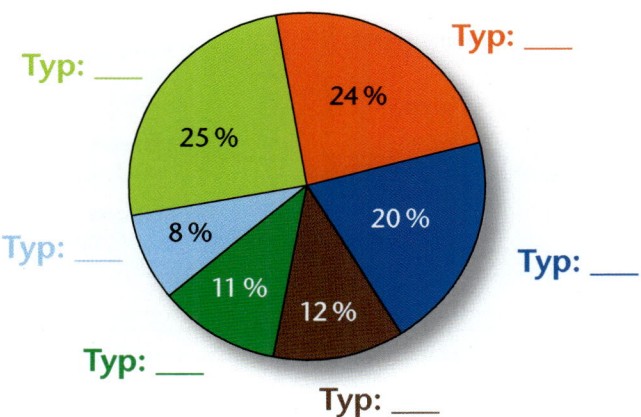

Typ: ___

Typ: ___ 24 %

Typ: ___ 25 %

Typ: ___ 8 %

Typ: ___ 11 % 12 % 20 %

Typ: ___

Typ: ___

6 Lesen Sie den Text. Welche Information aus der Grafik in Aufgabe 5 finden Sie auch im Text?

Medien und Lesen

Jeder Deutsche sitzt im Durchschnitt etwa 3,5 Stunden pro Tag vor dem Fernseher. Und er verbringt
mindestens 45 Minuten im Internet. Bleibt da noch Zeit für Bücher? Immer noch sagen die Deutschen bei Befragungen, dass sie etwa eine halbe Stunde am Tag Zeitung lesen. 25 Minuten pro Tag
lesen sie Bücher und 12 Minuten lang Zeitschriften. Das sind mehr Minuten für das Lesen in Druckmedien (Zeitung, Zeitschrift, Buch) als am Bildschirm. Aber das Lesen am Computer nimmt zu. 11 %
der Deutschen lesen heute schon lieber am Bildschirm. Und jeder Vierte sagt, dass er nie Bücher liest.
Aber die Mehrheit der Deutschen kann sich ein Lesen ohne das „alte" Medium Buch nicht vorstellen.

Die Deutsche Welle

7 **Lesen Sie die Situationen A–E und die Internetseite der Deutschen Welle und suchen Sie eine geeignete Sendung.**

A Sie interessieren sich für Wirtschaft.
B Sie möchten gerne etwas über Literatur hören.
C Sie möchten etwas über die Fußball-Bundesliga hören und haben eine Viertelstunde Zeit.
D Sie möchten wissen, was in der letzten Woche in der deutschen Politik geschehen ist.
E Sie haben am Samstag Deutsche Welle gehört und möchten die Sendung über studentische Themen noch einmal hören.

`www.dw-world.de` 🔍 Search

🖂 Mail · 🏠 Home · 🔍 Search · 📑 Bookmarks · Yellow Pages · WebMail · Find Sites · People · Download · Contact · Channels · RealPlayer H...

DW-RADIO – immer im Ohr

Sendung verpasst? Kein Problem! Hier können Sie die Sendungen von DW-RADIO zu jeder Zeit abrufen.

Die Sendungen finden Sie kurze Zeit nach der Live-Ausstrahlung hier und Sie können sie mit einem Media-Player anhören. Weitere Informationen zu den einzelnen Sendungen/Rubriken im Programm von DW-RADIO finden Sie über das Menü „Sendungen direkt" am Ende dieser Seite.

☐ 🔊 **Nachrichten**
Jede Stunde neu: Weltgeschehen kompakt (5 Min.)

☐ 🔊 **Journal Aktuell**
Das Wichtigste vom Tage (Mo.-Fr. 25 Min. / Sa. + So. 10 Min.)

☐ 🔊 **Journal D**
Montag bis Freitag: Darüber spricht Deutschland (10 Min.)

☐ 🔊 **Wirtschaft**
Montag bis Freitag: Was Wirtschaft bewegt (10 Min.)

☐ 🔊 **Fokus Europa**
Montag–Freitag: Viele Staaten – eine Gemeinschaft (15 Min.)

☐ 🔊 **Kontrovers**
Jeden Sonntag: Ein Thema - zwei Meinungen (10 Min.)

☐ 🔊 **Die Woche**
Jeden Sonntag: Der politische Wochenrückblick aus Berlin (5 Min.)

☐ 🔊 **Im Gespräch**
Jeden Sonntag: Antworten auf Fragen der Zeit (10 Min.)

☐ 🔊 **Sport am Wochenende**
Fußball-Bundesliga und mehr (15 Min.)

☐ 🔊 **Live-Bundesliga kompakt**
Die Schlusskonferenz vom Samstagnachmittag (25 Min.)

☐ 🔊 **Kultur**
Montag–Freitag: Deutschland ist mehr als Goethe, Grass & Co. (15 Min.)

☐ 🔊 **Studi-DW**
Jeden Samstag: Das Studentenmagazin (25 Min.)

☐ 🔊 **Wissenschaft**
Jeden Samstag: Neues aus Forschung und Entwicklung (15 Min.)

☐ 🔊 **Bücherwelt**
Jeden Sonntag: Das Literaturmagazin (25 Min.)

☐ 🔊 **Musikszene**
Jeden Sonntag: Konzerte und Festivals, Hits und Tipps (25 Min.)

Document : Done (3.386 secs)

Deutsche Welle

Die Deutsche Welle (DW) ist der deutsche Auslandsrundfunk. Sie verbreitet weltweit ein multimediales Angebot: Fernsehen, Radio und Internet in 30 Sprachen. Außerdem bietet die Deutsche Welle Kurse zur Fortbildung für Journalisten aus Entwicklungsländern an. Der deutsche Auslandsrundfunk hat die Aufgabe, Deutschland als europäische Kulturnation international zu vermitteln und den Dialog der Kulturen zu fördern. Außerdem soll er die Verbreitung der deutschen Sprache fördern. Die DW sendet aus Bonn und Berlin. Sie ist ein unabhängiger Sender und wird aus Steuergeldern finanziert.

Das Goethe-Institut Paris

8 Lesen Sie die Ankündigungen für Ausstellungen im Goethe-Institut Paris. Was zeigen die Ausstellungen? Sprechen Sie darüber, welche Ausstellung Sie gerne besuchen möchten und warum.

Veranstaltungen

- **Ausstellung**
- Diskussion
- Film
- Konzert
- Lesung
- Seminar
- Theater
- Wettbewerb

Man spricht Deutsch. Multimediale interaktive Ausstellung zur deutschen Sprache
Die deutsche Sprache im gesellschaftlichen Kontext erleben. In der Ausstellung werden unter anderem die folgenden Themen angesprochen: Jugendsprache, die Sprache der Werbung, Sprache der DDR, Sprache der Politik, Sprachwandel, Schönheit und Brutalität der Sprache.
Mehr …

Ich habe einen Traum. Porträts von internationalen Fotografen.
Die Ausstellung zeigt die schönsten Bilder einer Porträt-Serie der Wochenzeitung DIE ZEIT. Prominente wie Heidi Klum, Charles Aznavour und Woody Allen erzählten der ZEIT ihre ganz persönlichen Träume und ließen sich dabei mit geschlossenen Augen fotografieren.
Mehr …

Ortszeit. Fotografien von Stefan Koppelkamm
Stefan Koppelkamm fotografierte 1990 nach dem Fall der Mauer in Ostdeutschland Häuser, Straßen und Plätze. Alles wirkte, als wäre die Zeit stehen geblieben. Zehn, zwölf Jahre später fotografierte er alle Orte von den exakt gleichen Standpunkten ein zweites Mal.
Mehr …

> **ℹ** Das **Goethe-Institut (GI)** ist das weltweit tätige Kulturinstitut der Bundesrepublik Deutschland. Es ist nach dem deutschen Dichter Johann Wolfgang von Goethe benannt und besteht seit 1951. 1953 begannen die ersten Sprachkurse, im gleichen Jahr übernahm das Goethe-Institut Aufgaben zur Förderung von Deutsch als Fremdsprache im Ausland. 1968 startete das Goethe-Institut mit seiner kulturellen Programmarbeit. Das GI hat seinen Hauptsitz in München. Die drei Hauptziele des Instituts sind: die Förderung der Kenntnis deutscher Sprache im Ausland, die Pflege der internationalen kulturellen Zusammenarbeit und die Vermittlung von Informationen über das kulturelle, gesellschaftliche und politische Leben. Das Institut hat Niederlassungen in 13 Städten Deutschlands sowie Institute und Büros in 91 Ländern.

Goethe-Institut Paris

9 Sammeln Sie Veranstaltungshinweise für Theaterstücke, Lesungen, Ausstellungen, Diskussionen auf Deutsch in Ihrer Nähe.

Das Österreich Institut

10 Klären Sie die Begriffe „Gesetz", „Paragraf" und „Leitlinien".

11 Lesen Sie die Fragen und kreuzen Sie an: In welchem Text / In welchen Texten (I, II, III) finden Sie eine Antwort auf die Frage?

	Text I	Text II	Text III
A Bekomme ich am ÖI Informationen über Österreich?	☐	☐	☐
B Wo ist die Zentrale des ÖI?	☐	☐	☐
C Kann ich am ÖI eine Deutschprüfung machen?	☐	☐	☐
D Wo gibt es Österreich Institute?	☐	☐	☐
E Können auch Kinder Kurse am ÖI besuchen?	☐	☐	☐
F Wer unterrichtet an Österreich Instituten?	☐	☐	☐

I) Österreich Institut Gesetz

§ 1 [...] Aufgabe [des Österreich Instituts] [...] ist [es], kulturelle Auslandsbeziehungen insbesondere über das Medium der deutschen Sprache zu pflegen. [...]

§ 2 Der Sitz der Gesellschaft ist Wien. [...]

§ 3 Im Gesellschaftsvertrag sind [...] folgende Aufgaben vorzusehen:
1. Durchführung von Deutschkursen auf internationalem Niveau im Ausland,
2. Unterstützung der fachlichen Betreuung des Deutschunterrichtes im Ausland, [...]

In einem Deutschkurs am Österreich Institut Warschau

II) Unternehmensleitlinien

1. Österreich Institute sind [...] insbesondere mit dem Gebiet Deutsch als Fremdsprache befasst. [...] Sie gestalten ihre Aufgabenbereiche inhaltlich eigenverantwortlich und selbständig.

2. Gemeinsam mit anderen Initiativen der österreichischen Auslandskulturpolitik [...] tragen sie zu einem positiven Gesamterscheinungsbild Österreichs in den Gastländern bei. [...]

8. Österreich Institute bieten ein umfassendes Kursangebot für Deutsch als Fremdsprache, das sich an den Niveaustufen des Österreichischen Sprachdiploms Deutsch (ÖSD) orientiert. Neben Kursen für Erwachsene sind Kinder- und Jugendkurse ein fixer Bestandteil des Programms. [...]

9. Österreich Institute sind Prüfungszentren des ÖSD. Sie bereiten auf das [...] österreichische Sprachdiplom Deutsch vor [.] [...]

13. Österreich Institute verstehen sich als Informations- und Servicestelle für Anfragen im Bereich DaF [*], für Interessierte stehen allgemeine Informationen über Österreich zur Verfügung, nach Möglichkeit in Form einer Mediothek und/oder eines Internet-Zuganges.

14. LehrerInnen an Österreich Instituten sind Muttersprachler oder haben eine Muttersprachlern vergleichbare Kompetenz [...].

* DaF = Deutsch als Fremdsprache

III) Das **Österreich Institut (ÖI)** wurde 1997 gegründet. Es hat den Zweck, Deutschkurse im Ausland durchzuführen und den Deutschunterricht im Ausland zu fördern. Österreich-Institute gibt es neben der Zentrale in Wien in den direkten Nachbarländern Österreichs Italien (Rom), Slowakei (Bratislava), Slowenien (Ljubljana), Tschechien (Brno), Ungarn (Budapest) und auch in Polen (Kraków, Warszawa, Wrocław) und Serbien (Beograd).

Internationale Organisationen

12 Sammeln Sie im Kurs: Was wissen Sie über die folgenden internationalen Organisationen? Klären Sie unbekannte Wörter (Freihandel, atlantisch, …).

EFTA	Europäische Freihandelsassoziation (European Free Trade Association)
EU	Europäische Union
NATO	Nordatlantische Vertragsorganisation (North Atlantic Treaty Organization)
OECD	Organisation für wirtschaftliche Zusammenarbeit und Entwicklung (Organisation for Economic Co-operation and Development)
OSZE	Organisation für Sicherheit und Zusammenarbeit in Europa
UN	Vereinte Nationen (United Nations)

13 Sehen Sie sich das Schaubild an und bilden Sie Sätze zu den Informationen.

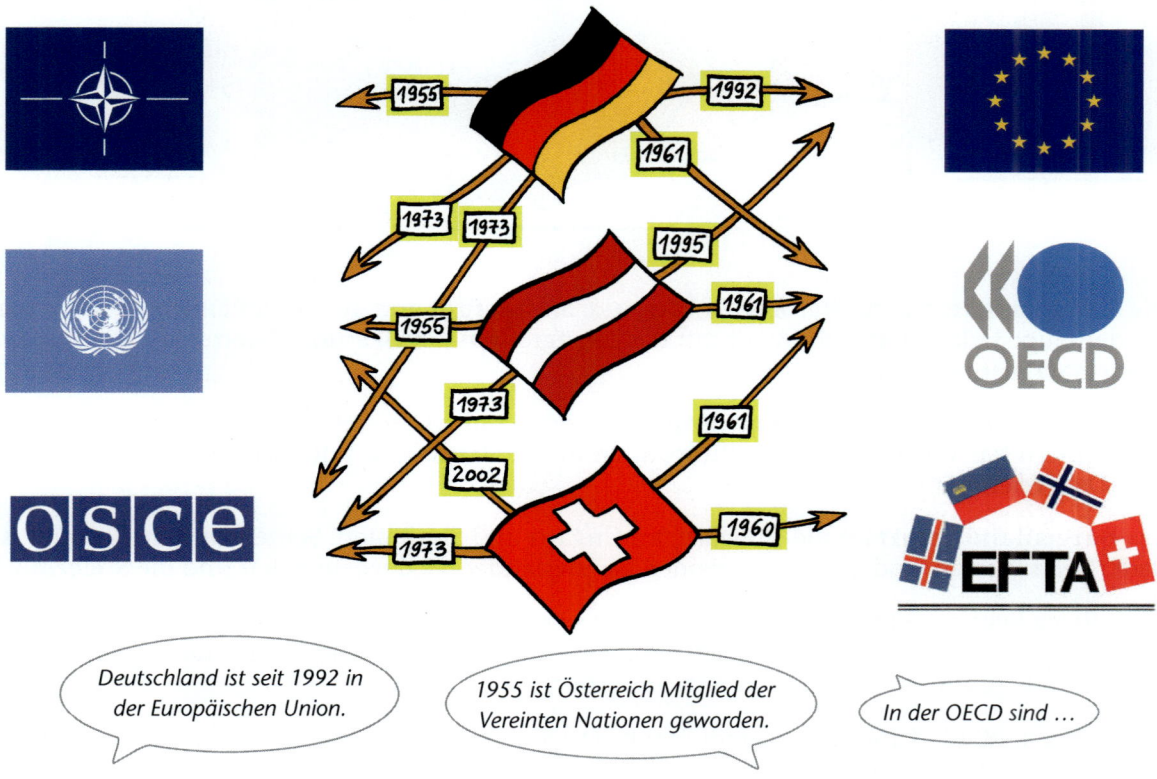

Deutschland ist seit 1992 in der Europäischen Union.

1955 ist Österreich Mitglied der Vereinten Nationen geworden.

In der OECD sind …

14 Lesen Sie den Text und markieren Sie die Sätze, die alle drei Staaten betreffen.

Deutschland, Österreich und die Schweiz in internationalen Organisationen
Die Schweiz ist seit 1815 außenpolitisch neutral, Österreich seit 1955. Deshalb sind beide Staaten keine Mitglieder in Militärbündnissen. Deutschland ist Mitglied der NATO. In den Vereinten Nationen aber sind Deutschland, Österreich und die Schweiz vertreten. Wichtige Ziele der UN sind die Sicherung des Weltfriedens und der Schutz der Menschenrechte. In der der OSZE sind auch alle drei Staaten Mitglieder. Die wichtigsten Gremien der OSZE haben ihren Sitz in Wien. Sie ist aktiv in den Bereichen „Wirtschaft und Umwelt", „Menschenrechte" sowie im politisch-militärischen Bereich. Deutschland, Österreich und die Schweiz sind Gründungsmitglieder der OECD. Ziele der OECD sind z. B. der freie Waren- und Kapitalverkehr. Die EU gibt es erst seit 1992, aber Deutschland war schon 1951 in der „Europäischen Gemeinschaft für Kohle und Stahl" Mitglied und 1958 in der „Europäischen Wirtschaftsgemeinschaft", einem Vorgänger der EU. Wenig später entstand die EFTA. Der Sitz des EFTA-Rates ist in Genf.

Die österreichischen Bundesländer

15 Lesen Sie den Text. Ergänzen Sie die Karte mit den Bundesländern und den Landeshauptstädten.

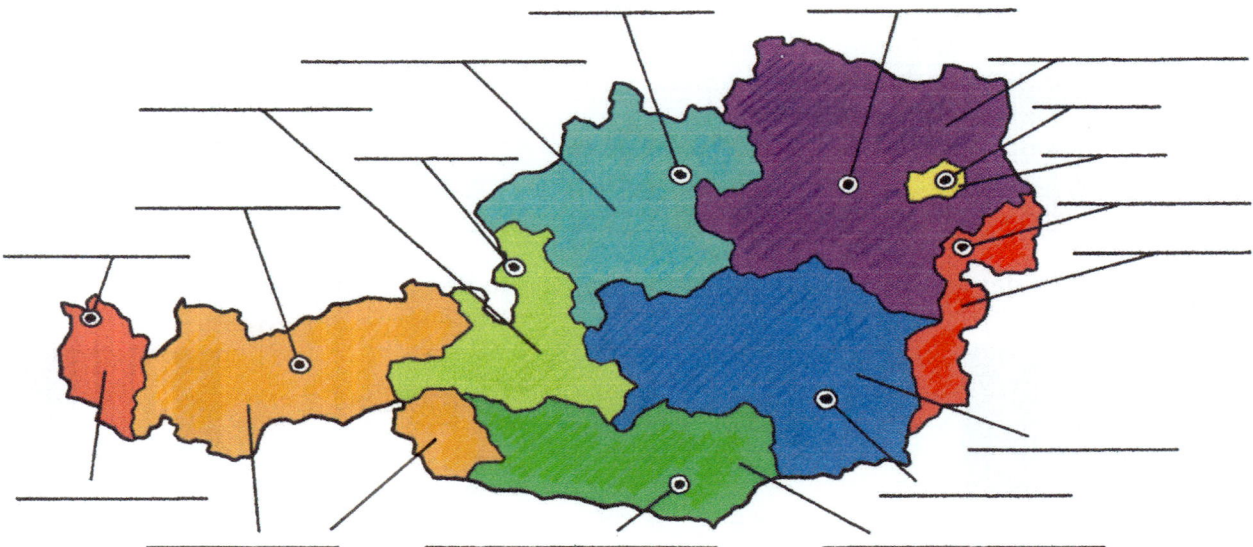

Die **Steiermark** ist das zweitgrößte Bundesland. Sie hat fünf andere Bundesländer als Nachbarn. Die Landeshauptstadt ist Graz, die Stadt mit der zweitgrößten Bevölkerung Österreichs. Die Bewohner der **Steiermark** nennen sich Steirer.

Die Bundeshauptstadt ist auch eins der neun Bundesländer Österreichs: **Wien**. Mit etwa 1.700.000 Einwohnern hat Wien die meisten Einwohner. Im Großraum um Wien lebt sogar mehr als ein Viertel aller Österreicher.

Das **Burgenland** grenzt an die Slowakei, an Ungarn und Slowenien. Seine Landeshauptstadt ist Eisenstadt. Nach Westen sind die angrenzenden Bundesländer **Niederösterreich** und die **Steiermark**.

Vorarlberg liegt ganz im Westen Österreichs. Es grenzt an Deutschland, die Schweiz und Liechtenstein. Bregenz ist die Landeshauptstadt. Eine Besonderheit ist das Kleinwalsertal. Es gehört zu **Vorarlberg**, man kann es aber nur von Bayern aus erreichen.

Innsbruck heißt die Landeshauptstadt **Tirols**. Das Bundesland besteht aus zwei Teilen, grenzt im Norden an Bayern und im Süden an den schweizerischen Kanton Graubünden sowie an Italien. In Osttirol befindet sich der höchste Berg Österreichs, der Großglockner mit einer Höhe von 3798 m.

Mitten in **Niederösterreich** liegt **Wien**. Die Landeshauptstadt von **Niederösterreich** ist aber Sankt Pölten.

Salzburg heißt die Landeshauptstadt, **Salzburg** heißt auch das Bundesland. Es grenzt an Bayern und zu einem kleinen Teil auch an Italien.

Oberösterreich grenzt an das deutsche Bundesland Bayern und an Tschechien. Die österreichischen Nachbarn sind die Bundesländer **Niederösterreich**, **Steiermark** und **Salzburg**. Die Landeshauptstadt von **Oberösterreich** ist Linz.

Ganz im Süden von Österreich liegt **Kärnten** mit der Landeshauptstadt Klagenfurt (am Wörthersee).

16 Welche Informationen im Text waren neu für Sie?

CH

Die Volksabstimmung in der Schweiz

17 Lesen Sie die Lexikon-Einträge und ergänzen Sie das Schaubild.

Nationalrat • Aktivbürger • Ständerat • Verfassung/Gesetze

Volksabstimmung, *die*; Instrument der Direkten Demokratie in der Schweiz. Alle → Aktivbürger können über einen Vorschlag (z. B. den Beitritt der Schweiz zu einer internationalen Organisation) abstimmen. Anlass ist eine → Volksinitiative oder ein → Referendum.

Aktivbürger, *der*; Bürger mit Wahl- und Stimmrecht, mindestens 18 Jahre alt.

Volksinitiative, *die*; wenn 100.000 → Aktivbürger mit ihrer Unterschrift eine Änderung der Verfassung verlangen, muss über die Änderung per → Volksabstimmung abgestimmt werden.

Referendum, *das*; eine → Volksabstimmung über eine Entscheidung des Parlaments. Bei Verfassungsänderungen z. B. muss es eine Volksabstimmung geben. Möchten → Nationalrat und → Ständerat ein neues Bundesgesetz machen, können 50.000 → Aktivbürger eine Volksabstimmung über das Gesetz fordern.

§

200 Mitglieder

46 Mitglieder

Bundesversammlung

Hier arbeiten National- und Ständerat: das Bundeshaus in Bern

Nationalrat, *der*; die 200 Mitglieder des N.es werden von den → Aktivbürgern in den → Kantonen gewählt. Der N. vertritt das Volk. Zusammen mit dem → Ständerat bildet er die → Bundesversammlung.

Ständerat, *der*; die Mitglieder des S.es (Ständeräte und -rätinnen) werden von den → Aktivbürgern in den einzelnen → Kantonen gewählt. Der S. besteht aus 46 Mitgliedern. Er vertritt die Kantone.

Kanton, *der*; insgesamt 26 K.e bilden die Schweiz, auch „Stände" genannt.

Bundesversammlung, *die*; eigentlich „Vereinigte Bundesversammlung", besteht aus → Nationalrat und → Ständerat. Die B. wählt den → Bundesrat.

Bundesrat, *der*; die Regierung der Schweiz, wird von der → Bundesversammlung gewählt. Alle sieben Mitglieder sind gleichberechtigt und haben vier Jahre lang zusammen die Aufgaben, die in anderen Ländern z. B. der Präsident hat.

18 Lesen Sie das Gespräch und schreiben Sie eine weitere Frage. Lesen Sie sie vor. Überlegen Sie gemeinsam, wo Sie eine Antwort bekommen können.

Ich habe gelesen, dass in der Schweiz die Hälfte aller Volksabstimmungen weltweit stattfinden. Stimmt das?

Das kann schon sein. Wir haben drei, manchmal vier Volksabstimmungen im Jahr.

Gehen immer alle zu den Volksabstimmungen?

Nein, nicht alle, vielleicht 40 Prozent bei „normalen" Abstimmungen. Aber wenn die Leute die Themen wichtig finden, gehen viel mehr hin.

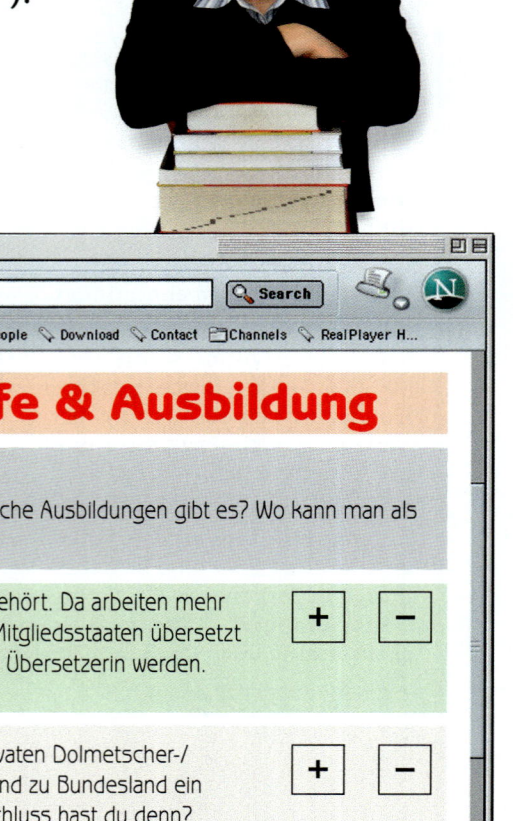

Berufswunsch: Übersetzer/in

19 Lesen Sie die Chat-Beiträge und markieren Sie:
Welche Antworten helfen Anja („+") und welche nicht („–")?

Fragen & Antworten – Berufe & Ausbildung

Anja: Hallo zusammen,
ich möchte Übersetzerin werden und brauche ganz viele Informationen!!! Welche Ausbildungen gibt es? Wo kann man als Übersetzerin später arbeiten? Ich freue mich, wenn ihr mir antwortet!

Peter: Ich habe gerade einen Bericht im Radio über die Europäische Union gehört. Da arbeiten mehr als 1300 Übersetzer. Alle Dokumente müssen in die Sprachen der anderen Mitgliedsstaaten übersetzt werden. Wäre das nicht ein guter Arbeitsplatz für dich? Aber zuerst musst du Übersetzerin werden. Welche Sprachen kannst du denn?   [+] [–]

Daniela: Die Ausbildung Dolmetscher/in oder Übersetzer/in kannst du an privaten Dolmetscher-/Übersetzerschulen machen. 2–3 Jahre dauert das und ist wohl von Bundesland zu Bundesland ein bisschen unterschiedlich. Aber es gibt auch ein Studium. Welchen Schulabschluss hast du denn?   [+] [–]

Svenja: Hallo Anja, hast du schon mal unter *berufenet.arbeitsagentur.de* nachgesehen? Da findest du Infos zu allen Berufen: Welche Fähigkeiten solltest du haben? Was machst du in dem Beruf? Welche Ausbildungswege gibt es? Wo kannst du später arbeiten? Schau da mal rein! (Ist auch ein bisschen sicherer als die Infos hier im Chat ...)   [+] [–]

Document : Done (3.386 seos)

20 Schreiben Sie aus den Stichworten ein Berufsprofil für Übersetzer/innen.

Texte in mindestens zwei Sprachen bearbeiten • Texte analysieren • übersetzen • zusammenfassen • kommentieren • Fachtexte: medizinische, juristische oder wirtschaftliche Texte, Betriebsanleitungen, Kataloge, Verträge oder geschäftlicher Schriftverkehr • die Muttersprache gut beherrschen • mindestens zwei Fremdsprachen lernen • Ausbildung: an privaten Schulen • Studium: an Fachhochschulen / an Universitäten • arbeiten: freiberuflich • in einem Übersetzungsbüro • bei/in großen Wirtschaftsunternehmen • bei/in verschiedenen EU-Institutionen • bei/in Behörden

Übersetzerinnen und Übersetzer bearbeiten ...

Die Texte sind in der Regel Fachtexte, z. B. ...

Wer Übersetzer werden möchte, muss seine Muttersprache ...

Es gibt eine Übersetzer-Ausbildung an ...

Übersetzer arbeiten oft freiberuflich, in ... oder sind bei ... angestellt.

Abkürzungen, kurze Wörter, Namen

21 Lesen Sie die Hinweise und notieren Sie die gesuchten Wörter, Namen und Abkürzungen (Abk.). Die Lösungen finden Sie auch alle im Wortgitter. Manche Buchstaben kann man mehrfach verwenden, sieben Buchstaben bleiben übrig. Welches Wort kann man mit ihnen bilden?

1. Medienpreis in D.: _ _ _ _ _ _
2. Hauptstadt der Schweiz: _ _ _ _ _
3. Verbrennt man in Zürich: _ _ _ _ _ _
4. Autokennzeichen Schweiz: _ _
5. Abk. der Schweizer Währung: _ _ _
6. Preis für deutsche Musiker: _ _ _ _ _
7. Traditionelle Frauenkleidung: _ _ _ _ _ _ _
8. Sprachprüfung an dt. Universitäten: _ _ _
9. Deutscher Radiosender: _ _
10. Musikpreis in D.: _ _ _ _ _
11. Maler aus Brühl: _ _ _ _ _ _
12. Abk. für Europäische Union: _ _
13. Abk. dt./österr. Währung: _ _ _
14. Drama von Goethe: _ _ _ _ _ _
15. Code Frankfurter Flughafen: _ _ _
16. Abk. für dt. Institut, z. B. in Paris: _ _
17. Autor von „Faust": _ _ _ _ _ _ _
18. Hauptstadt der Steiermark: _ _ _ _
19. Komponist der „Kaiserhymne": _ _ _ _ _
20. Autoprüfung in D.: _ _
21. Schneller Zug in D.: _ _ _
22. Traditionelle Herrenjacke: _ _ _ _ _ _ _
23. Hier wohnte Schiller: _ _ _ _ _
24. Bezeichnung der 26 Bezirke (= Teile) der Schweiz: _ _ _ _ _ _ _
25. Hauptstadt von Oberösterreich: _ _ _ _
26. Komponist der „Zauberflöte": _ _ _ _ _ _
27. Internationales Militärbündnis: _ _ _ _
28. Sängerin von „99 Luftballons": _ _ _ _

29. Deutschland, Österreich und die Schweiz sind Gründungsmitglieder dieser Organisation: _ _ _ _
30. Institut mit Sitz in Wien: _ _
31. Internationale Organisation mit Sitz in Wien: _ _ _ _
32. Österreichisches Bundesland mit zwei Teilen: _ _ _ _ _
33. Traditionelle Kleidung: _ _ _ _ _ _
34. Hatte einen Unfall in der Schwebebahn: _ _ _ _ _ _
35. Macht in Deutschland z. B. die HU: _ _ _
36. Internationale Organisation mit dem Ziel Weltfrieden: _ _
37. Code Wiener Flughafen: _ _ _
38. Hier ist Schiller gestorben: _ _ _ _ _ _
39. Hier ist Haydn gestorben: _ _ _ _ _
40. Code Züricher Flughafen: _ _ _

S	G	R	A	Z	W	E	I	M	A	R	O
I	A	B	E	R	N	A	T	O	S	Z	E
G	J	A	N	K	E	R	E	Z	T	H	C
I	E	M	D	Z	R	H	R	A	U	A	D
C	N	B	W	I	E	N	N	R	F	Y	S
H	A	I	Ö	F	A	U	S	T	F	D	H
C	H	F	I	C	E	L	T	L	I	N	Z
T	S	E	C	H	O	D	I	R	N	D	L
Ü	B	Ö	Ö	G	G	T	R	A	C	H	T
V	I	E	E	U	R	G	O	E	T	H	E
C	O	M	E	T	U	K	L	F	R	A	U
K	H	U	K	A	N	T	O	N	E	N	A

22 Ordnen Sie die Lösungen aus Aufgabe 21 den Begriffen zu. Welche drei Namen bleiben übrig?

Verkehr • Länder/Städte • internationale Organisationen • Personen • Sprache/Medien • Kleidung • Geld

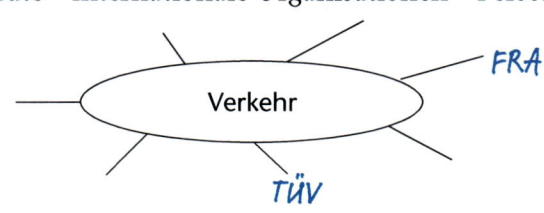

Lösungen

A

1 Text A / Bild 3: (links) Strümpfe, (rechts) Schuhe; Text B / Bild 2 (von oben nach unten): Stoff, Knöpfe; Text C / Bild 1 (von oben nach unten): Oberteil, Bluse, Rock

2 Trachten kann man …; tragen Trachten zu Festen …; Es gibt … immer noch Berufstrachten; Einzelne Trachtenelemente wie das Dirndl und den Janker; … auch im Alltag Männer mit einem Janker sehen. …; häufiger ein Dirndl; … tragen manchmal ein Dirndl.

4 1 B, 2 A, 3 C, 4 E, 5 D

6

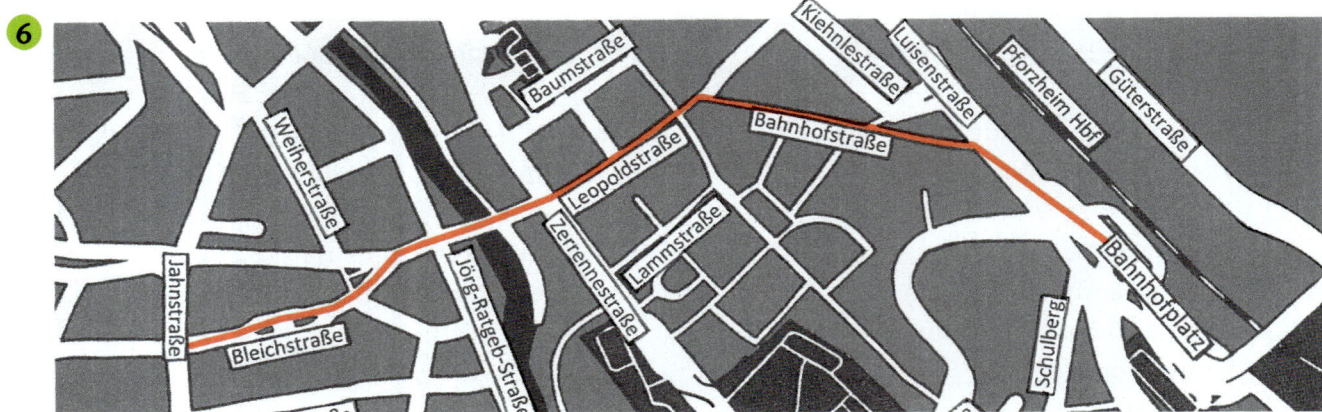

8 1: Kristallfiguren/Swarovski-Figuren, 2: Von ihrer Tante, 3: Wattens, 4: 1895, 5: In Zürich / In der Bahnhofshalle in Zürich

11 am 26. Oktober? / nach Innsbruck. / viele verschiedene Sportarten / Ich möchte mal Snowboarden oder Einrad ausprobieren.

13 A) Was passiert / ist passiert?
Es ist … feiern. Denn heute ist hier „Sechseläuten". Zuerst bin ich in die Münstergasse gegangen und habe mir den Umzug angesehen. Tausende Menschen in historischen Kostümen, viele auf Pferden und überall Musik. Manche Frauen hatten einen Korb mit Blumen. Wenn sie einem Mann eine Blume geben, darf der sie küssen. Irgendwann sind viele Zuschauer weggegangen. Alle in eine Richtung. … und bin mitgegangen. Alle sind zum Sechseläutenplatz gegangen und da war ein riesiger Schneemann aus Watte auf einem hohen Holzhaufen. Um sechs Uhr hat man das Holz angezündet und Reiter sind um den Schneemann herum geritten. Alle haben auf den Kopf des Schneemanns gesehen. Ich habe einen Mann neben mir gefragt, warum. Nach 10 Minuten ist der Kopf tatsächlich explodiert, weil innen Feuerwerkskörper waren.

B) Was hat jemand Evelyn erzählt?
„Der Schneemann heißt „Böögg" und wenn der Kopf schnell explodiert, dann gibt es einen guten Sommer."

C) Was denkt Evelyn / hat Evelyn gedacht?
Ich habe wirklich Glück mit meinem Urlaub in Zürich. … Das war fantastisch. … Das finde ich schön. … Da muss etwas Besonderes sein, habe ich gedacht. … Ich weiß nicht, ob ich das glauben soll. …Ich glaube, der Böögg ist ein Symbol für den Winter.

15 (63,5 %): Deutsch (20,5 %): Französisch (6,5 %): Italienisch

(0,5 %): Rätoromanisch (9 %): andere Sprachen

17 (1) gearbeitet, (2) geboren, (3) gekommen, (4) zurückgegangen, (5) gefahren, (6) wollten (7) erkennen, (8) ist, (9) fließt, (10) leben, (11) besteht

18 Bild C passt zum Chat-Beitrag von Bernd.

Quiz: 1 C, 2 C, 3 D, 4 D, 5 A, 6 B, 7 B, 8 A, 9 A, 10 C

B

5 A Am schwarzen Brett. / B Mitglieder der Fachschaft Architektur. / C Am Mittwoch um 8.30 Uhr informiert die Fachschaft über das Studium. / D Die Architekturstudierenden aus dem dritten Semester.

7 Architekten planen Gebäude, entwerfen Innenräume oder auch ganze Stadtteile. Sie gestalten die Form von Räumen. Wichtige Aspekte bei ihrer Arbeit sind die Ästehtik und die Funktion von Gebäuden. Ihre Arbeit ist kreativ und künstlerisch, braucht aber auch viel technisches Wissen über Materialien.

11 (1) von, (2) in, (3) bei, (4) mit, (5) an, (6) über, (7) an, (8) über, (9) auf

12 (1) nach, (2) arbeitet, (3) kauft, (4) schwer, (5) mit, (6) Schwebebahn, (7) machen. (8) ein, (9) oder, (10) fällt, (11) nicht, (12) keine

13 A: Steuern, Versicherung, Benzin, Reparaturen / B: telefonisch, im Internet / C: Kleinwagen, Kombis, Transporter

17 A Hamburger Hafen, B Brandenburger Tor in Berlin, C Prinzipalmarkt in Münster, D Rathausplatz in Paderborn, E Wuppertaler Schwebebahn, F mittelalterliche Altstadt in Quedlinburg, G Kölner Dom, H Schlosskirche in Wittenberg, I Kaiser- und Mariendom in Speyer, J Hofbräuhaus in München

18 In der Fernseh-Show „Unsere Besten – Die Lieblingsorte der Deutschen" (2006, ZDF) haben die Zuschauer folgende Reihenfolge gewählt: 1. Kölner Dom, 2. Brandenburger Tor, 3. Schlosskirche in Wittenberg, 4. Prinzipalmarkt Münster, 5. Rathausplatz Paderborn, 6. Wuppertaler Schwebebahn, 7. Hofbräuhaus München, 8. Hamburger Hafen, 9. Kaiser- und Mariendom in Speyer, 10. Mittelalterliche Altstadt Quedlinburg

19 Nordrhein-Westfalen

C

1 Haydn, Joseph, geboren 1732 in Rohrau, gestorben 1809 in Wien, die deutsche Nationalhymne / die Kaiserhymne / Mozart, Wolfgang Amadeus, geboren 1756 in Salzburg, gestorben 1791 in Wien, Die Zauberflöte / van Beethoven, Ludwig, geboren 1770 in Bonn, gestorben 1827 in Wien, Europahymne / Ode an die Freude / 9. Sinfonie

4 Abenteuerland; Wind of Change; 99 Luftballons; Ein bisschen Frieden; Über sieben Brücken musst du gehn; Alt wie ein Baum; Über den Wolken; Marmor, Stein und Eisen bricht; Junge, komm bald wieder; Ode an die Freude

6 Reihenfolge: 1 A, 2 C, 3 D, 4 F, 5 B, 6 E

8 A Sommer / Juli; B Hugo von Hofmannsthal, Richard Strauss und Max Reinhardt; C „Jedermann", D Stiftskeller St. Peter.

10 C: …, weil der Künstler es verkehrt herum gemalt hat. Für A, B und D gibt es keine „richtige" Lösung.

11 Max Ernst: „Der Wald", 1927 / Georg Baselitz: „Der Wald auf dem Kopf", 1969

12 A Frankfurt; B Freunde; C Drama; D gezogen; E gestorben

13 A Schön und falsch; B: Kommas und Religion

15 A geschrieben; B Minuten; C sind; D Publikum/Sieger

17 Ludwig van Beethoven ist 1770 in Bonn geboren und 1827 in Wien gestorben. Er war Komponist. / Johann Wolfgang von Goethe ist 1749 in Frankfurt am Main geboren und 1832 in Weimar gestorben. Er war Dichter/Schriftsteller. / Hugo von Hofmannsthal ist 1874 in Wien geboren und 1929 in Rodaun (bei Wien) gestorben. Er war Schriftsteller/Dichter. / Richard Strauss ist 1864 in München geboren und 1949 in Garmisch-Patenkirchen gestorben. Er war Komponist. / Joseph Haydn ist 1732 in Rohrau geboren und 1809 in Wien gestorben. Er war Komponist. / Wolfgang Amadeus Mozart ist 1756 in Salzburg geboren und 1791 in Wien gestorben. Er war Komponist. / Johann Christoph Friedrich von Schiller ist 1759 in Marbach am Neckar geboren und 1805 in Weimar gestorben. Er war Dichter/Schriftsteller.

D

1

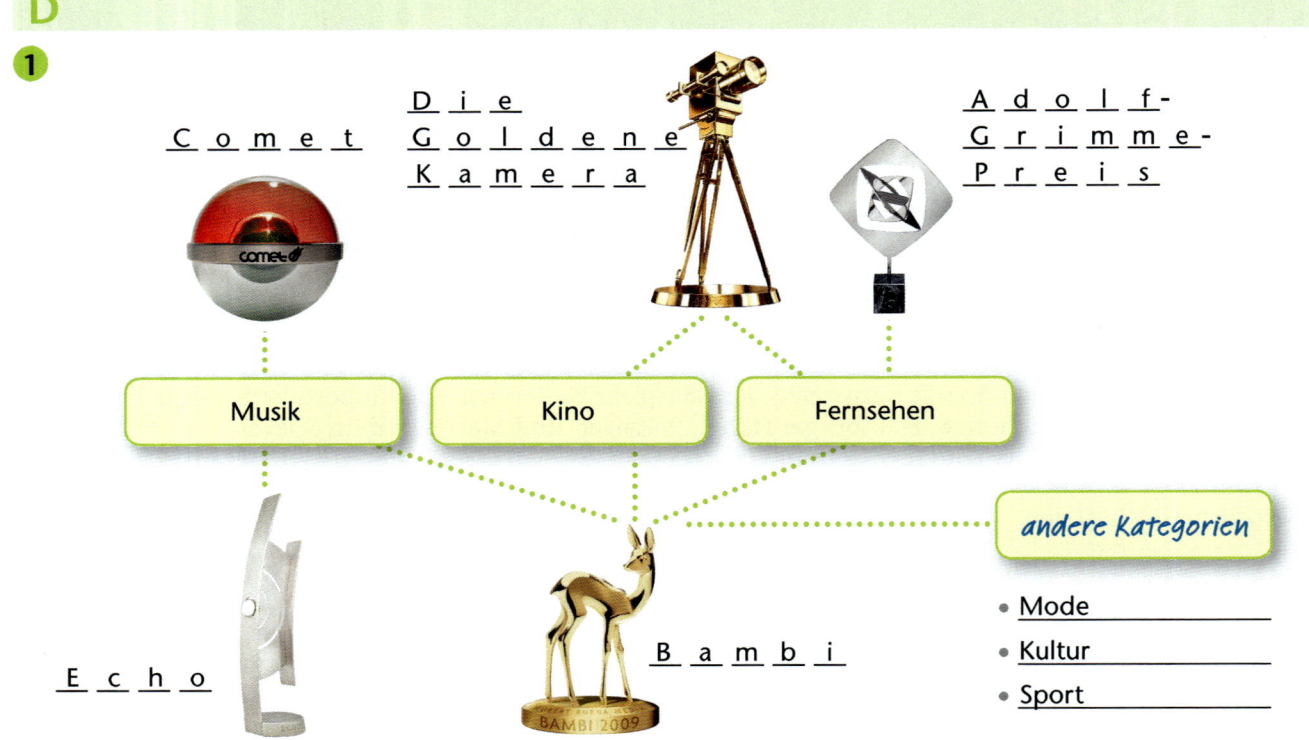

5 25% = Typ E; 24% = Typ D; 20% = Typ C; 12% = Typ B; 11% = Typ A; 8% = Typ F

7 A Wirtschaft; B Bücherwelt; C Sport am Wochenende; D Die Woche; E Studi-DW

11 A II, B I + III, C II, D III, E II, F II

14 Für alle drei Staaten gelten die Sätze:
In den Vereinten Nationen aber sind Deutschland, ... der freie Waren- und Kapitalverkehr.

15

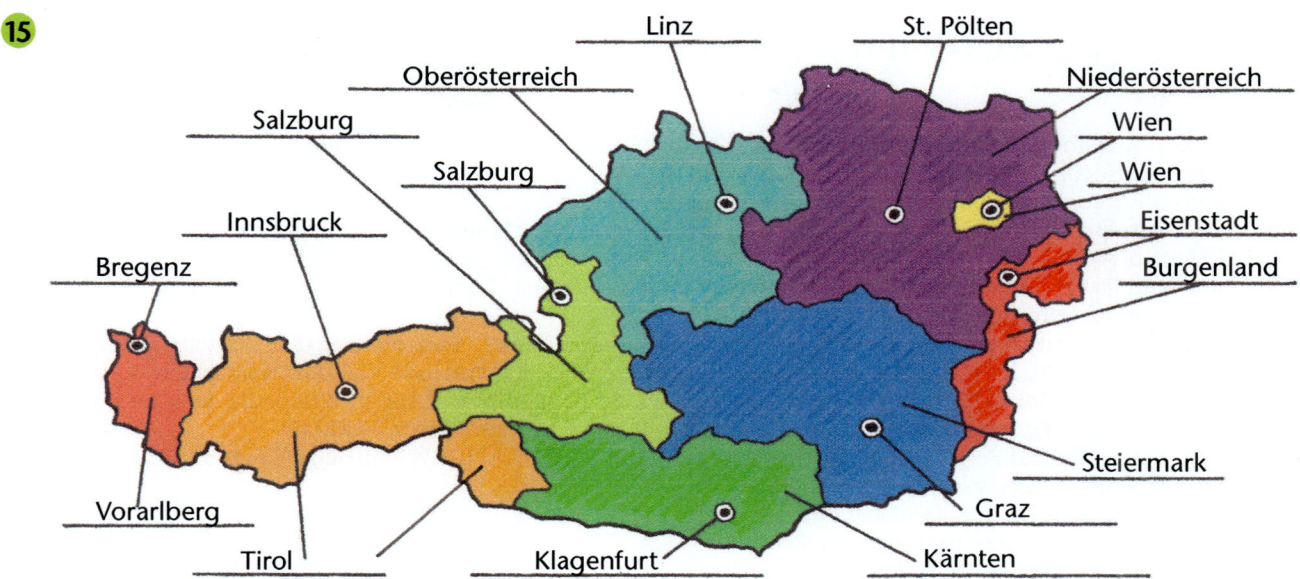

Linz · St. Pölten · Oberösterreich · Niederösterreich · Salzburg · Wien · Salzburg · Wien · Innsbruck · Eisenstadt · Bregenz · Burgenland · Vorarlberg · Steiermark · Tirol · Graz · Klagenfurt · Kärnten

17 im Schaubild oben: Verfassung/Gesetze; in der Mitte links: Nationalrat (200 Mitglieder); Mitte rechts: Ständerat (46 Mitglieder); unten: Aktivbürger

20 Beispieltext: *Übersetzerinnen und Übersetzer bearbeiten Texte in mindestens zwei Sprachen. Sie analysieren Texte, übersetzen sie, fassen sie zusammen oder kommentieren sie. Die Texte sind in der Regel Fachtexte, z. B. medizinische, juristische oder wirtschaftliche Fachtexte, Betriebsanleitungen, Kataloge, Verträge oder geschäftlicher Schriftverkehr. Wer Übersetzer werden möchte, muss seine Muttersprache gut beherrschen und mindestens zwei Fremdsprachen lernen. Es gibt eine Übersetzer-Ausbildung an Berufsfachschulen oder an privaten Schulen und es gibt ein Studium an Fachhochschulen oder Universitäten. Übersetzer arbeiten oft freiberuflich, in einem Übersetzungsbüro, oder sind bei großen Wirtschaftsunternehmen, verschiedenen EU-Institutionen oder Behörden angestellt.*

21 1 Bambi, 2 Bern, 3 Böögg, 4 CH, 5 CHF, 6 Comet, 7 Dirndl, 8 DSH 9 DW, 10 ECHO, 11 Ernst, 12 EU, 13 EUR, 14 Faust, 15 FRA, 16 GI, 17 Goethe, 18 Graz, 19 Haydn, 20 HU, 21 ICE, 22 Janker, 23 Jena, 24 Kanton, 25 Linz, 26 Mozart, 27 NATO, 28 Nena, 29 OECD, 30 ÖI, 31 OSZE, 32 Tirol, 33 Tracht, 34 Tuffi, 35 TÜV, 36 UN, 37 VIE, 38 Weimar, 39 Wien, 40 ZRH. Die übrigen Buchstaben ergeben: KLASSIK:

S	G	R	A	Z	W	E	I	M	A	R	O
I	A	B	E	R	N	A	T	O	S	Z	E
G	J	A	N	K	E	R	E	Z	T	H	C
I	E	M	D	Z	R	H	R	A	U	A	D
C	N	B	W	I	E	N	N	R	F	Y	S
H	A	I	Ö	F	A	U	S	T	F	D	H
C	H	F	I	C	E	L	T	L	I	N	Z
T	S	E	C	H	O	D	I	R	N	D	L
Ü	B	Ö	Ö	G	G	T	R	A	C	H	T
V	I	E	E	U	R	G	O	E	T	H	E
C	O	M	E	T	U	K	L	F	R	A	U
K	H	U	K	A	N	T	O	N	E	N	A

22 Verkehr: FRA, HU, ICE, TÜV, VIE, ZRH – Länder/Städte: Bern, CH, Graz, Jena, Kanton, Linz, Tirol, Weimar, Wien – internationale Organisationen: EU, NATO, OECD, OSZE, UN – Personen: Ernst, Goethe, Haydn, Mozart, Nena – Sprache/Medien: Bambi, Comet, DW, ECHO, GI, ÖI – Kleidung: Dirndl, Janker, Tracht – Geld: CHF, EUR – übrig bleiben: Böögg, Faust und Tuffi

Quellenverzeichnis

S. 4   Foto 1: Alexander Ivanov, Fotolia.com; Foto 2: Annalisa Scarpa; Foto 3: Meyhome, PIXELIO
S. 5   Foto: Mariocopa, PIXELIO
S. 6   Foto mit freundlicher Genehmigung von „Eisdieler", Berlin
S. 7   Wendeltreppe im Foyer des Reuchlinhauses, in dem sich das Schmuckmuseum Pforzheim befindet: Foto
        Valentin Wormbs, © Schmuckmuseum Pforzheim; Brosche oben links: Zerrenner um 1900, © Schmuck-
        museum Pforzheim; Brosche Mitte rechts: Foto Günther Meyer, © Schmuckmuseum Pforzheim
S. 8   Foto Kristallwelten: Rolf Plühmer, PIXELIO;
        Fotos Schmuckstücke: mit freundlicher Genehmigung der Firma D. Swarovski & Co., Wattens, Österreich
S. 9   Foto mit freundlicher Genehmigung von Manfred Obermüller, Gemeinde Viehdorf, Österreich
S. 10   Foto Zürich: © Roland Zumbühl, www.picswiss.ch; Foto Böögg: Daniel Appel, Wikipedia, creative commons
S. 12   Foto A: Anatol Tiplyashin, shutterstock.com; Fotos B und C: Dieter Schütz, PIXELIO
S. 14   Foto Bern: Michael Berger, PIXELIO; Stuttgart: Hartmut910, PIXELIO; Wien: Helga Gross, PIXELIO;
        Foto Student: shutterstock Arena creative
S. 15   Foto Universität Bern: Roland Zumbühl, www.picswiss.ch
        Foto Universität Wien: housymomo, PIXELIO
S. 17   Foto oben, Solarzellendach: Klaus-Uwe Gerhardt, PIXELIO; Foto unten, Universität Stuttgart, Frank Eppler –
        mit freundlicher Genehmigung der Pressestelle der Universität Stuttgart
S. 18   Foto oben links, Alpen: Reinhard Simon, PIXELIO; oben rechts, Schwarzwald; schnorbsi, PIXELIO;
        unten links, Nordsee: H. Henkel, PIXELIO; unten rechts, Rhein: Bernd Kröger, Fotolia.com
S. 19   Foto ICE: DB AG / Günter Jazbec
S. 20   Foto Schwebebahn: Gecko, PIXELIO
S. 21   Foto oben: Regina und Roland Sovarzo; Foto unten (Nummernschild mit Plakette): Christian Seiffert;
        Logo StattAuto – mit freundlicher Genehmigung von StattAuto München
S. 22   Fotos Zermatt: Roland Zumbühl, www.picswiss.ch
S. 23   Foto Hamburg: Cordula Schurig; Brandenburger Tor: DSC, PIXELIO; Münster: Doris Rennekamp, PIXELIO;
        Paderborn: Biggi, PIXELIO, Quedlinburg: Erich Westendorp, PIXELIO; Köln: shutterstock.com, Wittenberg:
        ErdeundMeer, PIXELIO, Speyer: Detlev Beutler, PIXELIO, München, Hofbräuhaus: Albert Ringer
S. 24   Foto Haydn: akg-images; Foto Mozart: Süddeutsche Zeitung Photo
S. 25   Foto Beethoven: Süddeutsche Zeitung Photo
S. 26   Foto Nena: Ullstein Bild
S. 27   Foto Paul-Georg Meister, PIXELIO
S. 28   Foto links: Corel Stock Photo Library; Foto rechts, Ben Becker (Tod): © Clärchen Baus-Matter und Matthias
        Baus über Fotoservice der Salzburger Festspiele: www.salzburgerfestspiele.at
S. 29   Gemälde Max Ernst „Der Wald": © Staatliche Kunsthalle Karlsruhe / VG Bild-Kunst; Foto oben Mitte:
        Angelina Ströbel, PIXELIO; Foto oben rechts: Günter Havlena, PIXELIO; Gemälde Georg Baselitz „Der Wald
        auf dem Kopf": © Georg Baselitz, Lithographie: Farbanalyse; Foto Mitte rechts: Christian Seiffert
S. 30   Foto oben: Corbis; Foto unten: Cristian Rohr, PIXELIO
S. 31   Foto oben: Technika 51, PIXELIO; Flaggen unten: Corel Stock Photo Library
S. 34   Logo Comet: © Ana Motjér, Royal Family-designlabor – mit freundlicher Genehmigung von MTV Networks
        German GmbH; Die Goldene Kamera von HÖRZU – mit freundlicher Genehmigung der Axel Springer AG,
        Berlin; Adolf-Grimme-Preis – mit freundlicher Genehmigung des Adolf-Grimme-Instituts, Marl; ECHO – mit
        freundlicher Genehmigung des Bundesverbandes Musikindustrie e.V., Berlin; BAMBI: © Hubert Burda
        Media, München, www.burda-download.de
S. 36   Logo und Foto unten – mit freundlicher Genehmigung der Deutschen Welle, Bonn
S. 37   Foto mit freundlicher Genehmigung des Goethe-Instituts, Hauptstadtbüro, Presse- und Öffentlichkeitsarbeit
S. 38   Foto ÖI Warschau und Logo mit freundlicher Genehmigung der Zentrale des Österreich Instituts, Wien
S. 39   Flagge EU: Corel Stock Photo Library; Flaggen UN und EFTA: public domain, Logo OECD: OECD
S. 41   Bundeshaus Bern: Roland Zumbühl, www.picswiss.ch
S. 42   Foto: Regina und Roland Sovarzo